総合判例研究叢書

民　法(8)

消滅時効の起算点……………………………幾代　通
時効の中断……………………………………幾代　通
時効の援用・利益の放棄……………………遠藤　浩

有　斐　閣

民法・編集委員

谷口知平

有泉亨

序

フランスにおいて、自由法学の名とともに判例の研究が異常な発達を遂げているのは、その民法典が百五十余年の齢を重ねたからだといわれている。それに比較すると、わが国の諸法典は、まだ若い。最も古いものでも、六、七十年の年月を経たに過ぎない。しかし、わが国の諸法典は、いずれも、近代的法制を全く知らなかつたところに輸入されたものである。そのことを思えば、この六十年の間に極めて重要な判例の変遷があつたであろうことは、容易に想像がつく。事実、わが国の諸法典は、それに関連する判例の研究でこれを補充しなければ、その正確な意味を理解し得ないようになつている。

判例が法源であるかどうかの理論については、今日なお議論の余地があろう。しかし、実際問題として、多くの条項が判例によつてその具体的な意義を明かにされているばかりでなく、判例によつて特殊の制度が創造されている例も、決して少くはない。判例研究の重要なことについては、何人も異議のないことであろう。

判例の創造した特殊の制度の内容を明かにするためにはもちろんのこと、判例によつて明かにされた条項の意義を探るためにも、判例の総合的な研究が必要である。同一の事項についてのすべての判決を探り、取り扱われた事実の微妙な差異に注意しながら、総合的・発展的に研究するのでなければ、判例の研究は、決して終局の目的を達することはできない。そしてそれには、時間をかけた克明な努力を必要とする。

幸なことには、わが国でも、十数年来、そうした研究の必要が感じられ、優れた成果も少くないようになつた。いまや、この成果を集め、足らざるを補ない。欠けたるを充たし、全分野にわたる研究を完成すべき時期に際会している。

かようにして、われわれは、全国の学者を動員し、すでに優れた研究のできているものについては、その補訂を乞い、まだ研究の尽されていないものについては、新たに適任者にお願いして、ここに「総合判例研究叢書」を編むことにした。第一回に発表したものは、各法域に亘る重要な問題のうち、研究成果の比較的早くでき上ると予想されるものである。これに洩れた事項でさらに重要なもののあることは、われわれもよく知つている。やがて、第二回、第三回と編集を継続して、完全な総合判例法の完成を期するつもりである。ここに、編集に当つての所信を述べ、協力される諸学者に深甚の謝意を表するとともに、同学の士の援助を願う次第である。

昭和三十一年五月

編集代表

小野清一郎　宮沢俊義

末川博　我妻栄

中川善之助

凡例

一　判例の重要なものについては、判旨、事実、上告論旨等を引用し、各件毎に一連番号を附した。

二　判例年月日、巻数、頁数等を示すには、おおむね左の略号を用いた。

大判大五・一一・八民録二二・二〇七七　（大審院判決録）
（大正五年十一月八日、大審院判決、大審院民事判決録二十二輯二〇七七頁）
大判大一四・四・二三刑集四・二六二　（大審院判例集）
最判昭二二・一二・一五刑集一・一・八〇　（最高裁判所判例集）
（昭和二十二年十二月十五日、最高裁判所判決、最高裁判所刑事判例集一巻一号八〇頁）
大判昭二・一二・六新聞二七九一・一五　（法律新聞）
大判昭三・九・二〇評論一八民法五七五　（法律評論）
大判昭四・五・二二裁判例三・刑法五五　（大審院裁判例）
福岡高判昭二六・一二・一四刑集四・一四・二一一四　（高等裁判所判例集）
大阪高判昭二八・七・四下級民集四・七・九七一　（下級裁判所民事裁判例集）
最判昭二八・二・二〇行政例集四・二・二三一　（行政事件裁判例集）
名古屋高判昭二五・五・八特一〇・七〇　（高等裁判所刑事判決特報）
東京高判昭三〇・一〇・二四東京高時報六・二・民二四九　（東京高等裁判所判決時報）
札幌高決昭二九・七・二三高裁特報一・二・七一　（高等裁判所刑事裁判特報）

前橋地決昭三〇・六・三〇労民集六・四・三八九 （労働関係民事裁判例集）

その他に、例えば次のような略語を用いた。

裁判所時報＝裁時　家庭裁判所月報＝家裁月報

判例時報＝判時　判例タイムズ＝判タ

目次

時効の援用・利益の放棄

遠藤浩

消滅時効の起算点

幾代　通

はしがき

消滅時効の起算点という問題は、それじたいとしてはかなり技術的な性格のものであるから、民法施行いらいの社会的経済的諸条件の変遷といつたようなことからする判例理論の発展ということはまず見られないといつてよい。ゆえに、解釈論的問題点は大体太平洋戦争までの判例において出つくしているということができる。ただ問題となるのは、権利というものが全く孤立的に存在しているという場合はほとんどなく、他の権利との関連において、あるいはより包括的な契約関係その他の法律関係の構成部分として存在する場合が大多数であるがゆえに、時効の起算点としての「権利を行使することを得る」という要件を充すか否かについては、種々の権利ないし法律関係のもつ性質その他の諸状況に応じて結論を異にする場合がすくなくない。この問題の解釈上の難所はたぶんこのような面にあるようである。

本稿の主題に忠実にマッチするためには、民法典は勿論、商法その他商事の諸法律、さらにはそれ以外のすくなくとも私法的性格を有する諸法規に現われる消滅時効に関する規定の全部にわたつて検討すべきであると考えるが、紙数の関係もあり、いなそれよりも筆者の能力の限界という理由から、従来常識的に民法総則編時効の箇所で論ぜられまた其処に関する判例として問題にされてきたものだけを中心に考察している。それにしてもなお、出来ばえは決して充分とはいえない。大方の御叱正をあおぎたい。

なお、比較的頻繁に引用した文献の略記号は、本書中「時効の中断」のはしがきに附記したものと同一である。

一　消滅時効の起算点に関する一般的問題

消滅時効の起算点たる「権利ヲ行使シ得ル時」（民法一六六条）が各種の権利につき具体的には如何なる時をいうかについては次節で見ることとし、本節では、一応あらゆる権利につき共通に問題になりそうないくつかの点につき考察を加えることにする。

一　起算日

(1)　消滅時効の起算点は、当該権利を行使しうる最初の時点をいう（民法一六六条）、つまり期限付権利にあつては期限到来の時、期限の定なき権利にあつては当該権利発生の時、というぐあいである。ところで、時効期間は日以上の単位をもつて定められるから、或る日のうちの確定した或る時刻（例えば午後二時）を弁済期と定めた場合や、或る時刻に権利発生（そして直ちに行使しうる）の原因事実が生じた場合のごときは、右時刻の属する日の翌日から時効期間を起算すべきである（民法一四〇条本文）。判決文のなかには、不用意に「何々の事実ありたる日より」などというものもなくはないけれども、それらはいずれも一日の前後が消滅時効の成否に影響しない事案における気安さからのこととおもわれ、真に一日の前後により事が決せられる場合においては、当然さきに述べたような、また左に掲げる判例のごとく解すべきである。

【1】　船舶衝突による損害賠償債権（時効一年）につき、衝突は大正元年八月一一日夜で、訴状提出は大正二年八月一一日であつた事案。

「消滅時効ハ権利ヲ行使スルコトヲ得ル時ヨリ進行スヘキハ民法第百六十六条ノ規定スル所ナレトモ其時効期間ノ計算ヲ為スニ付キ其期間カ日週月又ハ年ヲ以テ定メタルモノナルトキハ期間ノ初日ヲ算入セサルハ民法第百四十条ノ明文上毫モ疑ヲ容レサル所ナリトス」（大判大六・一一・八民録二三・一七六二）（その他、後出【14】・【16】など参照）

(2)　問題は、当事者が単に漫然と某月某日を債務弁済期または権利の始期と定めた場合、その日から起算するか、その翌日から起算するかである。弁済期日を明治三〇年七月三〇日と定めた貸金債権（時効期間は十年）につき明治四〇年七月三〇日に債権者が支払命令の申請をした事件において、起算日は七月三〇日か（これだと十年の時効完成し支払命令による中断は成立しない）、翌三一日か（これだと本件時効中断は有効となる）が争われた事件において弁済期日たる七月三〇日はこれを時効期間に算入し同日から起算すべきであるから、七月二九日をもって時効期間は満了したのであり、七月三〇日になした支払命令申請は手遅れであるとした古い下級審判例があるが（大阪控判明四二・四・日不明新聞五七〇・一二）大審院は、左のように、初日は算入しないという態度を示す。

【2】　弁済期を大正七年十二月三十一日と定めた貸金債権（時効十年）につき、履行の催告が昭和三年十二月三十一日に債務者に到達し、その後六ヶ月内に訴を提起した事案において、十二月三十一日午前零時から債権を行使しうるのだから消滅時効は同三十一日から起算し従って十年後の三十日をもって時効完成するから債権は消滅したと主張する上告人に対し、

「然レトモ時効期間ノ計算モ民法第百四十条ニ依ルヘキモノニシテ同条ニ依レハ期間ノ初日ハ之ヲ算入セス唯例外トシテ期間カ午前零時ヨリ始マル場合ニ於テノミ初日ヲ算入スヘキモノナルヲ以テ債権ノ消滅時効ノ期間ヲ計算スルニハ其ノ初日タル弁済期日ハ之ヲ算入セス其ノ翌日ヨリ之カ計算スヘキモノトス蓋債権者ハ弁済期日ニ弁済ヲ求メ得ヘキモノナルモ債権者カ其ノ権利ヲ行使シ得ルハ弁済期日ニ於ケル取引時間ノ初刻以後ナルニ付キ其ノ消滅時効ハ民法第百六十六条ニ依リ同日ノ取引時間ノ初刻ヨリ進行スヘキモノニシテ

午前零時ヨリ進行スヘキモノニアラサレハナリ（本院大正十五年（オ）第四九六号同年九月九日判決参照）本件ニ於テ百三十五円ノ債務ノ弁済期ハ大正七年十二月三十一日ナルコトハ原審ノ確定シタル事実ナルヲ以テ原審カ右債権ノ消滅時効期間ハ大正八年一月一日ヨリ起算シ昭和三年十二月三十一日ヲ以テ満了スヘキ旨判示シタルハ正当ニシテ論旨ハ之ヲ採用セス」（大判昭六・六・九新聞三二九二・一四）

【3】　満期日十一月二十五日の為替手形の引受人に対する手形債権につき、三年後の十一月二十五日に訴訟提起をなした事件で二十五日から起算して二十四日時効完成と見た原判決に対する上告審。

「商法第四百四十三条ニ依レハ為替手形ノ引受人ニ対スル債権ハ満期日ヨリ三年ヲ経過シタルトキハ時効ニ因リ消滅スヘシト雖同条ハ手形債権ノ時効期間ニ関スル特別規定タルニ止ルヲ以テ其ノ期間ノ計算ニ付テハ民法第百四十条ニ依ルヘキモノトス而シテ同条ニ依レハ期間ノ初日ハ之ヲ算入セス例外トシテ期間カ午前零時ヨリ始マル場合ニ於テノミ初日ヲモ算入スヘキモノナルヲ以テ為替手形ノ引受人ニ対スル債権ノ時効期間三年ヲ計算スルニ付テハ其ノ初日タル満期日ハ之ヲ算入セス其ノ翌日ヨリ之ヲ計算セサルヘカラス蓋手形所持人ハ満期日ニ於テ手形ヲ呈示シテ支払ヲ求メ得ヘキモノナルモ手形所持人カ手形上ノ権利ヲ行使シ得ルハ満期日ニ於ケル取引時間ノ初刻以後ナルニ付其ノ消滅時効ハ民法第百六十六条ニ依リ同日ノ取引時間ノ初刻ヨリ進行スヘキモノニシテ午前零時ヨリ進行スヘキモノニ非サレハナリ（当院明治三十四年（オ）第四百七号同年十一月二十八日判決参照）加之……本件手形ノ……支払場所ヲ株式会社光正銀行ト附記シ……銀行条例第六条ニ依レハ銀行ノ営業時間ハ午前九時ヨリ午後三時迄ナルヲ以テ……時効期間ニ付テモ其ノ初日タル満期日ノ午前零時ヨリ進行ヲ始ムルニ由ナキモノト為ササルヘカラス…… 原判決ハ之ヲ破毀スヘキモノトス」（大判大一五・九・九民集五・六八四）（同旨、大判明三四・一一・二八民集七・一〇・一三五）（この問題は現行法上は手形法七三条・小切手法六一条により本件判旨と同結論に立法上解決されている）

これは結局、時刻を特定せずに或る日をもつて弁済期限ないしは権利の始期と定めた場合の当事者の意思の解釈にかかる問題であり、当該日の午前零時を意味する場合（民法一四〇条但書参照）と、それ以外の場合（民法一四〇条本文参照）とに分れる。右に掲げた大審院判例は、旧法下の手形債権の時効につき示した理論（【3】）を普通の貸金債権へと一般化したものであり（【2】）、それは、債権者は当該日の始めから権利行使をなしうる、しかしここに日の始めとは法令または慣行による取引時間の初刻を意味し午前零時を意味しない、ゆえに初日たる当該日を算入せずに翌日から起算するという論法である。もっとも、各種債権を具体的に考えると、手形債権や銀行預金債権、あるいは例えば八月一日から使用させると約した賃貸借契約に基く賃借権の消滅時効の場合などにおいては、右の判例理論は最もよく妥当しそうであるが、通常の私人間の民事的な貸金債権（【2】のごときもの）などの場合の弁済期とか期限というのは――普通は債務者の利益のために存すると考えて（民法一三六条一項参照）――当該日の午後十二時、でなければ取引時間の最終刻を意味すると見るほうが当事者の意思に合致する場合が多いかも知れない。しかしいずれにせよ、初日たる当該日は算入しないという結論には変りはないのであるから、こと消滅時効の起算日に関するかぎりは、日の指定がその日の取引時間の初刻または最終刻のいずれを意味するかを確定しなくとも、特に当該日の午前零時を意味するという当事者の意思表示その他の事情の存しない以上は常に翌日から起算すべきものということが一般に認められるであろう。

二　「権利ヲ行使スルコトヲ得ル」の意味

消滅時効は、権利を行使しうるにかかわらずこれを行使しない状態の継続に対して権利消滅の効果を与えるものである。ゆえに、権利を行使しえない状態にある間は――たとい権利は発生していても

――未だ消滅時効が進行を開始することはありえない。しかしながら、客観的には権利が発生し且つ行使しうべき状態にあつても、具体的には権利行使が事実上困難もしくは不可能と見られる場合がある。特に、権利者自身が義務者を覚知しなかつたり、さらには権利の存在じたいを知らないということもありうる。

時効に関する規定であつて、権利者の一定の主観的容態とくに彼が権利の存在を知つた時などから時効期間を起算するものと明定する（それ一本立で、或いは、権利行使の客観的可能の時からの時効と並んでの二本立で）ものについては（民法四二六条・七二四条等）問題はない。問題は、かような特別の法文がない場合に、民法一六六条の「権利ヲ行使スルコトヲ得ル時」を如何に解するかである。判例は古くから権利行使についての障害を「法律上の障害」「事実上の障害」といつた表現で分類し、前者は時効の起算点に影響を及ぼすが、後者（権利者の不知等主観的事情をも包含する）は影響を及ぼさないという態度を採る。

(1)　権利行使上の単なる「事実上の障害」

（イ）　権利者がその権利の存在や行使可能性を知らないとか（法の規定によつて生ずる権利の場合に特に生じ易い）、知らないことについての過失の有無など、権利者の主観的容態は時効進行については顧慮されない。つまり、これらの事情に基く権利行使の不能ないし困難は、少くとも時効制度の趣旨からは、未だ「権利ヲ行使シ得ル」状態の否認にはならないとされる。

【4】　株式取引所仲買人に株式定期売買を委託したが、仲買人は委託を履行せず、委託者は右委託注文の日の翌日から起算して五年以上経過してから右委託契約解除の意思表示をなし原状回復を訴求するが、

「消滅時効ハ権利ヲ行使スルコトヲ得ル時ヨリ進行スルヲ以テ通則トシ民法第四百二十六条ノ……時効同第七百二十四条ノ……時効ノ如ク特別ノ規定アルモノノ外権利者ニ於テ権利発生ノ事実ヲ覚知スルノ要ナク時効ノ適用ニ付テハ債権ト同視スヘキ解除権ニ在リテモ相手方ノ債務不履行ニ因リテ解除権発生シ解除権者カ之ヲ行使シ得ル以上ハ相手方ノ債務不履行ノ事実ヲ覚知スルト否トヲ問ハス時効ハ進行ヲ始ムルモノナルヲ以テ……本件各注文カ履行セラレスシテ其期日ヲ経過スル毎ニ上告人ハ解除権ヲ行使シ得ヘク其時ヨリ起算シテ五年ノ時効ノ完成シタルコトヲ判示シ上告人ノ主張ヲ排斥シタルハ相当」である（大判大六・一一・一四民録二三・一九六五）

【5】（後出【18】の部分に続く同一事件）　事案は、未成年者A女を父が代理して、Y銀行に対して債務を負担する契約をなしA女所有不動産にYのため抵当権を設定したが、その後この不動産をXへ売渡し、Xは代金支払方法としてAのYに対する債務を代つて分割弁済をなすことを約定し、Xはこれに基き大正三年から五年の間に千四百円をY銀行に支払つた。ところが、本件債務負担行為当時Aは未成年者ではあつたが既に婚姻していたので、その父の行為は無権代理であり、Aは始めからY銀行へは債務を負わなかつたわけであり、Xも存在しない債務の弁済として給付をなしたことが判明した。XがY銀行に対し右千四百円の返還を訴求するのは、大正三―五年から十年以上経過してからのことである。Yの時効の抗弁に対してXは自己が不当利得返還請求権を有することを知つたのは昭和六年六月二七日だから時効は未だ完成せずと主張する。

「不当利得……ノ返還請求権……ノ消滅時効ノ期間ハ権利ノ発生ト同時ニ其ノ進行ヲ開始スルモノナルコト民法第百六十六条ノ規定ニ徴シ明白ナリ此ノ理ハ所謂非債弁済ニ因ルモノニ付テモ何等異ル所ナシ尤モ非債弁済ニ付テハ所論ノ如ク弁済ヲ為シタル者カ債務ノ存在セサルコトヲ知ラサル場合ニ限リ給付シタルモノノ返還ヲ請求スルコトヲ得ルモノナレハ返還請求権発生ノ時ニ於テハ権利者ハ此ノ権利ノ発生ヲ了知スルニ由ナク之ヲ行使スルコト能ハサルモノナレトモ之レ事実上権利ヲ行使スルコトヲ得サルニ止マリ法律上行使

不能ナリト云ヒ難ク前示民法第百六十六条に所謂権利ヲ行使スルコトヲ得ル時トハ法律上之ヲ行使シ得ヘキ時ヲ意味シ事実上之ヲ行使シ得ルヤ否ヤハ何等関係ナキモノト解スヘキヲ以テ此ノ場合ニ於テモ亦権利発生ノ時ヨリ時効期間進行スルモノト為ササルヘカラス之レ権利者ニ苛酷ナルカ如シト雖権利者ハ其ノ後十箇年ノ間時効ノ中断ヲ為シ得ヘク斯ル長期間ニ権利発生ノ事実ヲ覚知セサルモノノ如キハ権利ノ上ニ眠ルモノト謂フニ何等ノ妨ナシ又他ノ一面ヨリ之ヲ観ルニ一定ノ事実ヲ覚知シタル時ヲ以テ時効期間ノ起算点ト為ス特別ノ場合ニ於テハ別ニ之ヲ覚知スルコトナカリシ場合ニ適用セラルヘキ規定ヲ設クルヲ常トス（民法第四百二十六条第七百二十四条第九百六十六条）然ルニ此ノ種ノ規定ナキ非債弁済ニ因ル不当利得返還請求権ニ付権利発生ノ事実ヲ覚知シタル時ヨリ之ヲ起算スヘキモノトスルトキハ此ノ債権ニ限リ消滅時効ノ完成セサル場合ヲ生スルノ不合理ヲ免レス」（大判昭一二・九・一七民集一六・一四三五）

下級審にも右と同じ趣旨の判例がいくつかある（不当利得に関する名古屋地判明四五(通)三九号年月日不明新聞九二六・二五、船舶衝突による債権に関する山口地判大七・五・三新聞一四四九・二一等）法律行為から直接に生ずる債権であっても不確定期限附のもの等については権利者の覚知などが問題になりうるが、結論は変らない。ゆえに例えば、いわゆる「出世払」債務が不確定期限附債務と見られる場合においては、

【6】「債権ノ消滅時効ハ債権者カ権利ヲ行使シ得ヘキ時ヨリ其進行ヲ始ムルモノニシテ不確定期限ノ債務ト雖モ其到来ノ時ヨリ債権者ハ弁済ヲ請求シ得ヘク之ト同時ニ消滅時効ハ当然進行スヘク債権者カ期限ノ到来ヲ知ルト否ト又其過失ノ有無ヲ問フコトヲ要セサルモノトス蓋シ債権カ時効ニ因リテ消滅スルハ債権者カ権利ヲ行使シ得ヘクシテ之ヲ行使セサルニ基因シ債権者ノ権利行使ニ過失アルコトヲ要スルモノニアラス債権者ノ過失ナクシテ期限ノ到来ヲ知ラサルモ毫モ時効ノ進行ヲ妨クルコトナキヲ以テナリ」（大判大四・三・二四民録二一・四三九）

なお、履行期の到来している債権が相手方からの同時履行の抗弁権による対抗を受けている場合には、消滅時効は履行期到来の時から進行を始めること論をまたない。むしろ権利者の懈怠によつて権利の行使を怠つているにすぎないのであり、またそれは、時効起算点と債務者附遅滞の時期とは必ずしも一致しないこと（二・二(1)など参照）のひとつのあらわれでもある。

【7】「同時履行ノ抗弁権ノ附着スル債権ト雖モ履行期到来スルトキハ債権者ハ自己ノ債務ノ履行ヲ提供シテ其ノ履行ヲ求メ得ルカ故ニ履行期到来ノ時ヨリ消滅時効ノ期間ハ其ノ進行ヲ開始スルコト通常ノ債権ト何等異ル所ナシ」（大判昭一五・二・六判例総覧民事編五・八一）

催告の抗弁権（民法四五二条）または検索の抗弁権（民法四五三条）の附着せる保証債務については、同時履行の抗弁権の場合とはやや異つた事情があるけれども、やはりこれと同じく消滅時効の進行開始は妨げられないと解すべきであろう（中島玉吉・民法釈義巻之一・八九三頁）。

（ロ） 次に、権利者自身の懈怠・不知などの容態以外の事情が権利行使を妨げる場合であつても、それが単に事実的障害にすぎぬもので、本質的に権利行使を不可能にするようないわゆる法律上の障害でなければ、時効の起算点はこれにより影響を受けないとされる。

船舶所有者の傭船者に対する債権で、それにつき仲裁契約が存在しているものにつき消滅時効（当時の商法六一八条―現七六五条―参照）が主張された事件で、仲裁契約が存在すれば権利者は裁判所に対して給付の訴を提起しえないから権利行使につき法律上障碍の存する場合であり、仲裁人から仲裁不調の通知ありたる日までは時効は進行しないとした原審判決に対し、大審院は左のようにいう。

【8】「仲裁契約アルトキハ当事者ハ右ノ権利関係ヲ訴訟物トスル訴訟ニ於テ仲裁契約ノ存在ヲ抗弁トシテ主張シ以テ本案ノ弁論ヲ拒ミ得ルカ故ニ仲裁契約ノ存在スル限リ本案判決ハ或ハ之ヲ受クルヲ得サルコトアルヘキモ消滅時効ハ履行期ノ到来シタルトキヨリ進行スルヲ以テ単ニ右ノ如キ事由アルノ一事ヲ以テ直ニ其ノ消滅時効ハ其ノ進行ヲ阻止セラレタモノト云フヲ得ス……（しかし当事者が仲裁に関する各種手続をなすことは時効の中断にはなるから）……原判決ハ結局相当ナリ」（大判大一五・一〇・二七新聞二六八一・七）

権利行使が義務者または第三者の行動によつて妨げられている場合といえども、時効の起算点が影響を受けることはない。むしろ、かような場合（特に義務者の行動に基因する場合）に時効が進行するというのが正に時効の制度の予定しているところであるともいえる。

【9】「民法第百六十六条第一項ニ……ト謂フハ権利ノ内容ヲ実現スルニ付法律上ノ障害ノ存在セサルトキヨリ時効期間ノ進行アルモノト解スヘク……地上権ハ物権ニシテ……地上権者ハ所有者ニ対シ土地ノ引渡ヲ請求スルコトヲ得ルハ勿論所有者又ハ第三者カ土地ノ使用ヲ妨害シタルトキハ直接ニ妨害排除ノ請求ヲ為シ得ヘキニ依リ其地上ニ第三者ノ建物カ存在スルモ……建物所有者ニ対シ其土地ノ明渡ヲ求メ得ヘキ権利アル……カ故ニ事実上土地所有者カ地上権者ニ対シ土地ノ引渡ヲ為ササル場合ニ於テモ之カ為地上権行使ニ付法律上ノ障害アルモノト謂フヲ得ス従テ地上権者カ土地所有者ヨリ土地ノ引渡ヲ受ケス漫然地上権ヲ行使セサルトキハ其間時効期間ハ進行スルモノト解ス……」（名古屋地判昭六年(ワ)一一八号年月日不明新聞三三〇八・一三）

(2)　権利行使上の「法律上の障害」　権利は既に発生していても、未だ履行期が到来しない等の事情があるときは、権利を行使しうる状態にはなつていないのであり、これを権利行使上の「法律上の障害」と呼ぶこともできようけれど、これらは次節における各種の権利についての観察に譲り、より一般的な法律上の障害として判例で取上げられ時効の起算点に影響ありとされた事項を見よう。

当該権利の履行期（時効の原則的起算点）以前にすでに訴訟が提起され係属中であった事案において、大審院は左のようにいう。

【10】「本件保険金請求権ニ付テハ……大正八年七月中……保険契約存在確認ノ訴訟ヲ提起シ……勝訴ノ判決……確定スルニ至リタルモノナルカ故ニ其ノ消滅時効ハ債権ノ発生ト同時ニ進行ヲ始ムルコトナク該判決確定迄其ノ進行ヲ停止シタルモノ」である（大判昭五・六・二七民集九・六一九）

この判決は、時効の進行が停止するという表現を用いているが、実質的には、履行期を起算点として時効は進行を開始すると同時に中断されたものというべきであり、右判決も所掲部分より前部箇所では「中断」の表現を用いており判決全体としても中断の問題として事を扱っていると見られるから起算点じたいが本来的にくり下るという今ここで扱っている問題とは少々ずれているというべきであろう。

大正十二年の関東大震災後の支払猶予令の所定期間内に履行期到来する債権につき、

【11】「大正十二年九月七日ノ勅令ニ依リ債務者ニ債務ノ支払ヲ拒ム権利ヲ与ヘラレタルカ如キ場合ニ於テハ債権者ハ其行使ヲ為サントスルモ能ハサルモノト云フ可ク従テ其間ハ時効ノ進行ハ始マラサルモノニシテ手形ノ主タル債務者ニ対スル消滅時効ト雖モ何等之ト異ナルモノニ非ス本件手形ノ満期日カ大正十二年九月十日及同月三十日ナルコト……然ラハ本件手形債務ニ関シテハ大正十二年九月七日ノ支払延期令ノ適用アリ其結果之カ支払ハ一箇月間延期セラレ従テ前記ノ理由ニ依リ其間ハ時効進行ヲ開始セス右期間ノ終リタル大正十二年十月十日及同月三十日ヨリ各時効カ進行ヲ開始シ三ケ年ノ経過ニ依リ完成スルモノト謂ハサルヘカラス」（東京地判昭二・三・二四新聞二六八一・一四）

けつきよく、普通ならば進行を開始すべきはずのものが開始しない「法律上の障害」とは、右のように特殊な場合に限られるようである。

二　各種の権利における消滅時効の起算点

一　始期附権利の場合

期限——確定期限または不確定期限たる始期——の定ある権利にあつては、当該期限の到来までの間は権利はあつても未だ行使し得ないものであるから、当該権利の消滅時効は、期限の到来した時から進行を開始する。

(1)　確定期限ある場合　最も典型的な場合であり、したがつて特に問題となることは少い。特殊な問題としては、弁護士・公証人または執行吏の職務に関する債権であつて特に弁済期が約定されている場合には、消滅時効の起算点としては、約定の弁済期が民法一七二条所定の時期に優先して適用される。

【12】「民法第百七十二条ハ……是等ノ債権ニ付キ其原因タル事件終了ノ時又ハ其事件中ノ各事項終了ノ時ヲ以テ時効進行ノ起算点ト定メタルハ是等ノ債権ハ通例弁済期限ノ特約ナキモノナルカ故ニ他ノ債権ニ於ケル弁済期限ニ代ルヘキ時効ノ起算点ヲ定ムル必要アリシニ因レルモノナレハ若シ特ニ弁済期ヲ定メタル場合ニ於テハ消滅時効ニ関スル原則タル民法第百六十六条ニ依リ弁済期ヨリシテ時効ノ進行ヲ始ムヘキハ明白ノ理論ナリ蓋シ消滅時効ニ関スル立法上ノ理由ノ一ハ権利者カ其権利ヲ行使シ得ルニ拘ハラス其行使ヲ怠レルカ故ニ之ヲ失ハシムルモ可ナリトスルニアルモノナレハ消滅時効ノ進行ハ権利ヲ行使シ得ル時期ノ到来ヲ

以テ其前提ト為スヘキコトハ右立法上ノ理由ヨリシテ生スル当然ノ論決ナリ而シテ弁護士公証人執達吏ノ債権ニ付テハ期限ヲ附スルコトヲ禁スルノ理由ナキカ故ニ苟モ右債権ニ関シ特定セル期限ノ到来シ右債権ヲ行使スルヲ得ルニ至リタルナラハ其原因タル事件ノ終了セルト否トニ拘ハラス時効ヲ進行セシムヘキモノニシテ期限ノ定メアルニ拘ハラス事件ノ終了ヲ以テ時効進行ノ始期ト為スヘキモノニアラサルヤ明カナリ」（大判明四〇・三・一六民録一三・二八二）

なお、本来定められた弁済期を延期する旨の合意または和議などがあった場合には、時効の起算点についても新弁済期が基準になることはいうまでもない。

【13】「本訴ハ約束手形金ノ即時給付ノ訴求ノ訴ニシテ手形債権確認ノ訴ニ非サルコト記録上明白ナリ然ルニ被上告人（被告）ノ債務ニ付テハ大正十四年十一月二十六日神戸区裁判所ニ於テ和議成立シ……債務ハ同日以降三年間据置クコト……ナル処本件約束手形ノ満期日ハ大正十四年六月三日……ニシテ該手形債務ノ弁済ハ右和議ニ因リテ猶予セラレ其ノ弁済期未タ到来セサルコトハ原裁判所ノ確定シタル所ナリ而シテ和議ニ因リ弁済期延期セラレタル場合ト雖其ノ延期ノ期限到来スルマテハ時効進行セサルモノナルカ故ニ論旨ニ云フカ如ク時効中断ノ為期限前ニ訴ヲ提起スルノ必要アルコトナク弁済期前ニ即時給付ノ判決ヲ求メ得サルコト云フヲ俟タサル所ナ」リ（大判大一五・一一・二一民集五・七五九）

(2)　不確定期限ある場合　不確定期限附の権利とくに債権にあつては（例えば、いわゆる出世払債務）、債務者が遅滞に陥るのは彼が期限到来を知つた（債権者から請求を受ける、その他の方法で）時からであるが（民法四一二条二項）、当該債権の消滅時効の起算点については、期限が客観的に到来した時（客観的に見て出世した時）であつて、債権者側の期限到来についての知不知や過失の有無を問わない（前出【6】など参照）。

右に掲げた「出世払」債務のほか、この種の事例左のごとし。

【14】 被上告人（権利の特定承継あるも簡単にこのように記載する）所有の家屋を売却してその代金を取立て且つその代金中より被上告人の債務を精算の上償却すべきことを上告人に委任した場合の、上告人に対する残金返還請求権について、

「上告人ハ被上告人……ノ委任ニ依リ同人所有ノ家屋ヲ三百五十円ニテ……ニ売却シ其ノ代金ヲ取立テ……債務ヲ精算シタル上大正元年十月中無尽債務百円……ニ対スル債務七十円ヲ弁済シ同年十二月二十五日……ニ対スル債務五十円ヲ弁済シテ債務ノ償却ヲ為シ同日ヲ以テ委任事務終了シタルモノナレハ其ノ残余ノ売却代金ヲ……返還スヘキ上告人ノ債務ノ履行期ハ同日ヲ以テ到来シタルモノト謂ハサルヲ得ス故ニ其ノ債務ノ消滅時効ハ同年十二月二十六日ヨリ進行スヘキモノナレハ原判決カ之ト同一趣旨ニ出テタルハ相当ニシテ上告人ノ売却代金取立ノ時ヲ以テ時効ノ起算日ト為ササリシハ不法ニアラス」（大判昭三・五・二八裁判例（二）民三五）

二　期限の定なき権利

(1) 債務の履行につき期限を定めなかった債権については、債務者は原則として履行の請求を受けた時から遅滞の責に任ずるが（民法四一二条三項）、債権の消滅時効も請求（すなわち債務者附遅滞）の時から進行を開始するのか。こう考えるとすると、債権者が請求せずに放置すれば永久に消滅時効は進行しないことになり、時効制度の趣旨から見て不当である。債権者は何時でも請求（現実の権利行使）をなしうるのであるから、消滅時効の起算点（民法一六六条）は債権発生の時であると考えるべきであり、必ずしも債務者附遅滞の時とは一致しない場合がありうる。

【15】 （後出【33】と同事件。弁済の請求のあった日から三ケ月内に年五分五厘の利息を附して弁済すべき消費寄託）「債権発生ト同時ニ債権者カ履行ノ請求ヲ為シ得ヘキ場合ニ於テハ其履行請求カ即時ノ履行ヲ請求シ得ヘキモノナルト又債権者カ期間ヲ定メテ履行ノ請求ヲ為シ得ヘキモノナルト将又債権関係成立当時

ニ於ケル当事者間ノ契約ニ因リ債権者カ履行ヲ請求シタルトキヨリ一定ノ期間内ニ債務者カ履行ヲ為スヘキ場合ナルトヲ問ハス斯ル債権関係ノ発生ヲ目的トスル法律行為ハ之ヲ以テ期限ヲ附シタルモノト為スヲ得ス……按スルニ債権ノ消滅時効ハ債権者カ債務ノ履行ヲ請求スルコトヲ得ル時ヨリ進行スルモノニシテ債務者ヲ遅滞ニ付スルコトハ其要件ニ非ス如何トナレハ民法第四百十二条第三項ノ規定ニ依レハ債務ノ履行ニ付期限ノ定ナキトキハ債務者ハ履行ノ請求ヲ受ケタルトキヨリ遅滞ニ付セラルルト雖モ債権者ハ債権成立ノ時ヨリ何時ニテモ履行ノ請求ヲ為スコトヲ得ヘク即民法第百六十六条第一項ニ所謂権利ノ行使ヲ為シ得ヘキモノナレハナリ」（以下【33】へ続く）（大判大三・三・一二民録二〇・一五二）

【16】　株式の利益配当請求権について

「控訴人カ被控訴会社ノ……株主ナルコト及大正七年十二月二十一日ノ被控訴会社ノ株主総会ニ於テ大正七年度……ノ利益配当金トシテ……一割ヲ株主ニ配当スヘキ旨ノ決議アリタルコトハ当事者間争ナク……而シテ本件利益配当支払請求権ニ付弁済期ノ定ナキコトハ当事者間争ナキトコロナルカ故ニ反証ナキ限リ本件利益配当支払請求権ハ前示決議ノ翌日即チ大正七年十二月二十二日ヨリ起算シ満五ケ年ノ経過ニヨリ消滅スヘキモノト謂ハサルヘカラス」（東京控判昭二・二・一四新聞二六六九・六）

また、第三者に給付を為すべきことを要求する要約者の権利は、その契約に始期を定めないかぎり消滅時効は契約成立の時から進行し、第三者が契約の利益を享受する意思を表示しないからとてその進行を妨げられることはない。

【17】　「契約ニ依リ当事者ノ一方カ第三者ニ或給付ヲ為スヘキコトヲ約シタルトキハ要約者ハ諾約者ニ対シ第三者ニ給付ヲ為スヘキコトヲ要求スルノ権利ヲ有シ其権利ハ契約ニ始期ヲ附セサル限リ契約成立ノ時ヨリ之ヲ行使シ得ヘキヲ以テ其権利ノ消滅時効ハ契約成立ノ時ヨリ進行スヘク第三者カ契約ノ利益ヲ享受スル意思ヲ表示セサルカ為メニ其進行ヲ妨ケラルヘキモノニ非ス而シテ第三者カ要約者ノ権利ノ時効ニ因リ消滅

スル迄ニ利益享受ノ意思ヲ表示シタルトキハ第三者ノ諾約者ニ対スル給付請求ノ権利ハ発生シ且独立シテ時効ノ進行ヲ始ムヘキハ勿論ナルモ要約者ノ権利カ時効ニ因リ消滅シタル以後ニ於テ為シタル利益享受ノ意思表示ハ第三者ノ権利ヲ発セシムルノ効ナキモノトス何トナレハ要約者ノ権利ニシテ消滅スル以上ハ諾約者ハ第三者ニ給付ヲ為スノ義務ヲ免カルルカ故ニ第三者ハ其利益ヲ享受スルニ由ナク此意味ニ於テ要約者ノ権利ノ存在ハ第三者ノ権利発生ノ前提タレハナリ本件ニ於テ……上告人……カ……所有地ヲ被上告人ニ贈与スヘキコトヲ被上告人ノ兄Aニ対シ契約……シタル所ナレハ要約者タルAノ諾約者ニ対シ被上告人ニ贈与ヲ為スヘキコトヲ要求スル債権ノ時効ハ契約成立ノ日タル明治三十年五月八日ヨリ進行シ被上告人カ利益享受ノ意思ヲ表示シタルハ……大正四年十月二十一日ナレハ其間十年ヲ経過シAノ債務者ニ対スル債権ハ既ニ其時迄ニ時効ニ因リ消滅シ被上告人ノ意思表示ハ権利発生ノ効ヲ生セサルヲ以テ被上告人カ上告人ニ対シ本件地所ニ付キ贈与ニ因ル所有権移転ノ登記ヲ請求スル本訴ハ理由無キモノトシテ之ヲ却下スヘキモノトス」（大判大六・二三・一四民録二一・一五二）

法の規定に基いて生ずる債権についても理論は同じであり、例えば、不法行為に基く損害賠償請求権の消滅時効期間のひとつ（民法七二四条後段）は、債権発生の時（不法行為のあつた時）から進行を開始する。不当利得に基く返還請求権についても同様である。

【18】「不当利得トハ法律上ノ原因ナクシテ他人ノ損害ニ於テ利益ヲ得タル事実ヲ謂ヒ斯ル事実存スルトキハ其ノ返還請求権ヲ生シ……直ニ之ヲ行使スルコトヲ得ルモノナレハ此ノ権利ノ消滅時効ノ期間ハ権利ノ発生ト同時ニ其ノ進行ヲ開始スルモノナルコト民法第百六十六条ノ規定ニ徴シ明白ナリ此ノ理ハ所謂非債弁済ニ因ルモノニ付テモ何等異ル所ナシ……」（【5】へ続く）（大判昭一二・九・一七民集一六・一四三五）

また、債務不履行による損害賠償請求権は本来の債権の変形物に過ぎず別個の債権とは考えられないからその消滅時効は全く本来の債権についてのそれに包摂せられ、本来の債権を行使し得る時から時効は進行を開始する。

【19】「債務の不履行に基因して発生すべき損害賠償債務は本来の債務の物体を変更せるに止り其の債務の同一性に消長を来すものに非ず、従て右債務の消滅時効は本来の債務の履行を請求し得る時より進行を始むるものとす」（大判昭一八・六・一五法学一三・二六五）

債権以外の権利（民法一六七条二項参照）についても、債権の場合と理論に差異はない。ゆえに、物権のごとく始期附権利なるものの存在しえないもの、つまり権利の発生と行使しうる最初の時期との間に間隙を置きえないものについては、消滅時効の起算点は一般に権利発生の時である（前出【9】参照）。

(2) ところで、同じく期限の定めのない債権といつても、或る継続的な契約関係（寄託、消費寄託、消費貸借など）の終了によつて始めて現実に行使しうるごとき権利にあつては、問題は少しく複雑になる。すなわち、理論的には、(i)債権（返還請求権等）は当該契約成立時から既に存在しているが、ただ現実に行使しうること（すなわち債務者附遅滞）は債権者の請求（理論的には当該継続的契約の解約告知）にかからしめられている場合と、(ii)当該継続的契約関係の終了（請求による）の時までは債権そのものも発生せず、契約関係終了によつて始めて当該債権が発生する場合、とが考えられるからである。そして、(i)については前記の消滅時効即時進行ということが比較的容易に認められるとしても、(ii)については時効は契約終了（解約告知）の時から始めて進行を開始するのではないかとの疑を容れる余地が充分に存するからである（或る権利の消滅時効は、少くとも、当該権利の発生前から進行を開始することはないということはいえるであろうから）。そして、種々の継続的契約関係から生ずる債権が右の(i)(ii)のいずれに属するかは理論的にはかなり困難な問題を提供する場合がすくなくなかろう。しかしながら、この(i)か(ii)かという判定は抽象的一般的には可能であるとしても、こと消滅時効の起算点という点に関しては、主として時効なる制度の趣旨から論定せざるを得ないのではないかと思われるし、それはまた、形成権の行使を前提として発生ないし行使しうべき請求権の場合の、当該形成権や請求権の消滅時効ないし除斥期間、それの起算点という、一般的な問題へとつらなってゆくのである（後出四参照）。

とまれ、返還時期を定めない寄託・消費貸借・消費寄託（いわゆる普通貯金・特別当座貯金など）などの契約上の返還請求権については消滅時効は契約成立の時から進行するというのが判例の態度である。

【20】「請求次第即時弁済スヘキ約旨ナル消費貸借上ノ債権ハ契約成立ノ時ヨリ何時ニテモ権利ヲ行使シ得ヘキモノナルカ故ニ其時効ハ又此時ヨリ進行スルモノト解スルヲ至当トス」（東京控判昭二・二・三新聞二六七七・九）

【21】同じく消費貸借（ただし消滅時効やその起算点に関する事案ではない）

「弁済期ノ定メナキ貸金債権ハ債権者ニ於テ何時ニテモ其ノ弁済ヲ請求シ得ルモノニシテ此ノ意味ニ於テ債権成立ト同時ニ弁済期ニアルモノト謂フコトヲ得ヘク而シテ借主ヲシテ履行遅滞ノ責ヲ負ハシムルニハ貸主ニ於テ相当ノ期間ヲ定メテ返還ノ催告ヲ為シ該期間内ニ弁済ナキコトヲ要スルモノナルヲ以テ此ノ意味ニ於テハ右返還ノ催告（弁済ノ請求）ナクシテハ遅滞ノ責ヲ生スヘキ弁済期到来セサルモノトス従テ等シク弁済期ト謂フモ前者ト後者トニ於テ其ノ意義ヲ異ニスルモノニシテ彼此混同スヘキニ非ス然ラハ……本件貸金債権ヲ自動債権トシテ……本件売買代金債務ト対当額ニテ相殺スル場合ニ於テハ……右貸金債権ハ其ノ成立ノ動機如何ヲ問ハス其ノ成立ノ時（期間ヲ定メテ為シタル返還ノ催告前）即チ貸付ノ時ニ於テ既ニ前述ノ弁済期ニ在ルモノトシテ相殺適状ニ在ルモノト解スヘキモノトス」（大判昭一七・一一・一九民集二一・一〇七五）

【22】（返還の時期を定めない消費寄託契約）「本訴請求ノ預金ハ上告人ノ先代カ被上告人ノ先代ニ対シ……

債権者ノ入用次第何時ニテモ返還スヘキ約ヲ以テ預ケタルモノナルコト……然レハ右各預金ハ何レモ返還ノ時期ヲ定メサリシ消費預金ニ外ナラスシテ民法第六百六十六条但書ニ依リ寄託者ハ何時ニテモ返還ヲ請求スルコトヲ得ルモノナレハ之ニ関スル消滅時効ハ各預入ノ当時ヨリ進行スルコト疑ヲ容レス」（大判大五・六・二判例一巻民事五二九頁）

同じく、家産保護のため不動産を寄託し（所有権を外部関係においてのみ受寄者に移転し彼の名義で保存登記をしておいた）返還時期を定めなかった場合、寄託者からの返還請求に対して受寄者が消滅時効を主張した。返還請求権は寄託契約を解除することにより始めて行使しうるものであるから、契約解除があった事実と、解除から十年以上経過した事実を明にしなければならぬとした原審判決を大審院は破毀差戻した。

【23】「寄託者ハ寄託物返還ノ時期ヲ定メサルトキハ何時ニテモ之カ返還ノ請求ヲ為シ得ルモノナルヲ以テ右寄託者ノ寄託物返還請求権ノ消滅時効ハ寄託契約成立ノ時ヨリ進行スルモノト解スルヲ相当トス……原審カ本件寄託物ノ返還請求権ハ寄託契約ヲ解除スルコトニ依リ初メテ行使シ得ヘキモノナルニヨリ上告人ハ本訴提起ヨリ十年前ニ於テ其解除アリタルコトヲ明カニセサルヘカラサルニ此点ニ付キ何等立証ナシトノ理由ノ下ニ上告人ノ為シタル消滅時効ノ抗弁ヲ排斥シタルハ失当ナリ」（もっとも、寄託者が所有権に基いての返還請求を為すことは別論とする）（大判大九・一一・二七民録二六・一七九七）

これらの判例理論は、普通法時代以来の論争を立法的に解決したといわれる独民法一九九条「権利者ガ義務者ニ解約ノ申入ヲ為シタルトキニ始テ給付ヲ請求スルコトヲ得ル場合ニ於テハ、消滅時効ハ解約ノ申入ヲ為シ得ベキ時ヨリ進行ス」と結論を同じくするものであり、学説も一致してこれを支持するといってよい（ただし薬師寺志林二四・二六二は、解約なくしては時効の進行は始らずとなす）。

三　当座預金債権など

前項で扱った問題に関連するものとして、当座預金関係ないし当座貸越契約上の債権をめぐる消滅時効の問題がある。

(1)　当座預金債権については、大審院は古くは、右【23】と同じ理論で、預金関係発生の時から消滅時効は進行するとなした。

【24】「当座預金ノ如キ債権ニ付テハ別段ノ契約ナキ限ハ其債権者ハ何時ト雖モ払戻ヲ請求スルコトヲ得ル地位ニ在ルヲ以テ其債権ニ対スル時効ハ民法第百六十六条ニ依リ預金関係ノ生シタル時ヨリ起算スヘキモノトス」(大判明四三・一二・一三民録一六・九三七)

ところがその後昭和十年にいたり、判例は態度を変えた。事件は、旧韓国王室の内帑金約三十六万円余を、便宜上当時の韓国高官の個人名義で、明治三十五年から同三十八年の間に二口の当座預金として第一銀行に預入れ、右高官は明治四十年に死亡し、その相続人が昭和五年にいたり元利金の返還を請求したもので、被告銀行側は既に有効に弁済ずみなることを抗弁したが必ずしも裁判所を納得せしめるに足りなかつたのか、消滅時効を援用し、本件係争債権の消滅時効(商事の五年)は、(i)預入れの時(一口については明治三十八年の一部払戻しの時)から進行する、(ii)然らずとするも、小切手の資金に充てらるべき当座預金契約には相続性がないから、明治四十年当事者死亡の時に契約は終了し、この時から進行を開始する、どちらにしても時効にかかつていると抗弁した。原審は、預入れの日から消滅時効は進行するとして、原告の請求を棄却したが、大審院は破毀差戻した。

【25】「原審ノ確定シタル事実ニ依レハ上告人先代李容翊ハ被上告銀行ニ対シ明治三十五年十月二日金二

十三万七千五百十九円七十四銭……ヲ又明治三十八年一月十四日及同月二十四日ニ合計十二万四千円……ヲ何レモ当座預金トシテ預入レ預金者ハ何時ニテモ被上告銀行ヲ支払人トスル小切手ヲ振出シ同銀行ハ其ノ小切手ノ支払ヲ為スコトニ依リ預金ノ払戻ヲ為シタルモノト看做ス旨約定シタリト云フニ在リ惟フニ斯ノ如キ取引ニ於テ之ヲ当座預金ト云フモ将タ当座勘定ト云フモ幵ハ名ニ過キス所謂預金者ノ為ス預金ナルモノハ夫ノ単ナル利殖ノ為メニスル預金トハ全ク其ノ趣ヲ異ニシ預金者ノ振出ニ係ル小切手ノ資金タル性質ヲ有スルト共ニ小切手金ノ償還義務ヲ担保スル作用ヲ具フルモノナルヲ以テ所謂預金ハ当該取引ヲ構成スル不可分ナル一要件ニ外ナラス従ヒテ該契約ノ存続スル限リ預金者ハ小切手ニ依ラスシテ妄リニ其ノ払戻ヲ請求スルコトヲ得ス其ノ払戻ハ該契約ノ終了シタル時ヲ以テ始メテ之ヲ請求スルヲ得ヘク而シテ消滅時効モ亦此時ヲ以テ進行ヲ開始スルハ殆ント自明ノ理ト言ハサルヘカラス果シテ然ラハ原審ニシテ右当座預金ノ払戻請求権カ時効ニ因リ消滅シタル旨ノ被上告銀行ノ抗弁ノ当否ヲ判断センニハ先ツ右当座預金契約ハ終了シタルヤ否ヤ及若シ終了シタリトセハ其ノ時期如何ニ付審理ヲ遂クヘキニ拘ラス事茲ニ出テス漫然右預金払戻請求権ハ預入後何時ニテモ行使シ得ルモノニシテ従テ其ノ消滅時効ハ預入後直ニ進行ヲ開始スルモノナル旨判示シ之ヲ前提トシテ被上告人ノ時効ノ抗弁ヲ是認シタルハ法律ノ解釈ヲ誤リ延テ審理ノ不尽ヲ招キタル違法アリ到底破毀ヲ免レス」（大判昭一〇・二・一九民集一四・一三七）

(2)　もつとも、厳密にいうと、明治末年の【24】から右【25】までの間は、必ずしも、預入時からの時効即時進行説が支配したわけではなくて、当座預金契約に附随してなされることの多い当座貸越契約から生ずる銀行の貸越債権についてではあるが、右【25】と同様の理論が採られており（大判大七・一二・二三銀行関係判例全集二一五、大判昭七・七・二九法学二・二四二、大判昭八・一二・一八法学三・四四五）、その意味では右【25】はこの理論を当座預金債権についても確認したものというべきであり、また当座預金債権に関するかぎりは【24】を変更するものとして連合部判決によるべきであつたと思われるが（判民昭一〇年一二事件我妻評釈参照）、前者が余り古い単一判例であつたせいか、この手続は採られなかつた。ともあれ、この【25】で示された理論は、その後さらに当座貸越契約から生じた貸越債権についても同じく確認踏襲せられた。

【26】（当座貸越契約により貸越された債権については各口ごとに無期限の債権として即時に時効は進行を開始したものと解すべしとの上告に応えて）

「当座貸越契約ニ基キ為シタル貸金ニ付テハ其契約ノ終了セサル間ハ貸主ニ於テ之カ返還ヲ請求スルコトヲ得サルモノナルニ因リ其ノ消滅時効ハ各箇ノ貸付ノ日ヨリ進行スヘキモノニ非スト做スヘキコト論ナキカ故ニ所論ノ原判示ハ正当ニシテ論旨ハ其ノ理由ナシ」（大判昭一〇・一二・二四判決全集三・一・六）

【27】「当座借越契約ニ依ル借越債権ハ該契約ノ終了シタル時ヲ以テ始メテ相手方ニ対シ之カ弁済ヲ請求スルコトヲ得ルニ至ルヘク従テ其消滅時効モ亦此時ヲ以テ進行ヲ開始スルモノト解スヘキモノトス（昭和九年（オ）第二〇四一号昭和十年二月十九日当院判決参照）原審ハ……本件当座借越契約ニハ十日前ノ予告ヲ以テ解約ヲ為シ得ル約旨ナルコト並宇美銀行ハ右約旨ニ基キ昭和二年五月十日頃債務者ニ対シ右当座借越契約ヲ解約スル旨ノ通知ヲ為シタルニ因リ同月中解約トナリタル事実ヲ認定シ之ニ依リ本件債権ノ消滅時効ハ此時ヲ以テ進行ヲ開始シタル旨判定シタルモノニシテ其間原審ニ何等ノ不法アルコトナシ」（大判昭一一・一二・二四新聞四一〇〇・一一）

同じ理論から、銀行が営業を廃止した場合には右廃止の時が当座貸越契約終了の時であり、すなわち消滅時効の起算点である（貸越金発生の時ではない）ということになる。

【28】「当座貸越契約ニ於テハ其ノ存続スル限リ預金者ハ小切手ニ依ラスシテ妄リニ其ノ払戻ヲ請求スルコトヲ得ス孰レモ該契約ノ終了シタル時ヲ以テ始メテ之カ請求ヲ為シ得ヘキモノナルコト其ノ性質上明瞭ニシテ銀行カ其ノ営業ヲ継続シ居ル場合ニハ通常解約ニ因リ契約ハ終了スヘキモ銀行カ其ノ営業ヲ廃止シタル

場合ハ爾後契約ヲ継続シ能ハサルモノトシテ特ニ解約ヲ須キス当座貸越契約は即時失効スルモノト解スヘク消滅時効モ亦此ノ時ヲ以テ進行ヲ開始スルモノト為ササルヘカラス」（大判昭一五・四・二六民集一九・七七一）

(3)　問題は、いわゆる当座預金契約やこれから生ずる債権の性質を如何なるものと見るかにかかっている。すなわち、(i)小切手によってのみ払戻を受けうるという技術的手続的制約を受けるだけで払戻請求じたいは何時でもできる債権に過ぎないと考えれば、純然たる期限の定なき消費寄託上の債権であって（民法六六六条参照）、時効の起算点は預金関係発生の時と解せざるをえない（前出【22】）。(ii)この種の預金契約は交互計算契約あるいはこれに類する特殊な契約を伴い、要するに一個の包括的な契約関係の一環として取りこまれているために、かかる契約関係の存続するかぎりは問題の預金債権の行使は停止状態にあるものと考えれば、時効は右の契約関係の終了をまって始めて進行すると解すべきであろう。判例（【25】以下）はまさにこの(ii)の理論に基くものであり、学説も一般にこれを支持するが（判民昭一〇年一二事件我妻評釈、民商法二・一・一三〇末川判批、田中誠二銀行法（新法全）五二頁、判民昭一五年四二事件豊崎評釈、柚木四三八頁等）、反対する学説もないわけではない（我妻三七一頁、我妻・有泉二三一頁）。

四　形成権をめぐって

形成権については、それと消滅時効ないし除斥期間との関係、形成権そのものと形成権行使の結果として生ずる請求権等との関係、特に後者の消滅時効と形成権との関係などの諸問題が民法学における難問のひとつとして立ちはだかっているが、かかる一般的問題に深入りすることは本稿の目的から逸脱するおそれもあるから、起算点について判例に現われた点に関するかぎりにおいて触れることにする。

(1)　形成権じたいの消滅時効の起算点　形成権の行使についての時間的制限に関し特別の規定がおかれている場合は――その定められた期間が消滅時効か除斥期間かという問題を別にすれば――それじたいとしては余り問題がないし、その期間の起算点についても法の明文あるときはこれに従う(民法一二六条・四六二条等)。問題は、特別の規定のない形成権――解除権(民法五四一条以下)・売買予約完結権(民法五五六条)など――については如何に考えるかである。通説は、民法一六七条二項を適用することなく、解除権については、その行使の結果たる原状回復請求権と同一期間によつて消滅すると解している。すなわち、判例は、解除権は――形成権ではあるが――時効に関しては債権と同視せらるべきもので、時効期間は十年であり、その期間の起算点は、権利(解除権)を行使しうる時、すなわち債務不履行による解除権にあつては債務不履行の時であるとする(前出【4】)。この理論は、約定解除権についても同じく適用せられうるものであり、すなわち約定解除権を行使しうる時(普通は、さような約定解除権を留保しての契約が成立した時)ということになる。

売買予約完結権についても、形成権ではあるがこれを債権と同視し、十年の時効に因り消滅すると解されており(大判大四・七・一三民録二一・一三八六、大判大六・二・九新聞一二五一・二五)、ゆえに特に始期等の定めがなければ予約締結の時が消滅時効の起算点である。

【29】　上告人が訴外某に売ろうとしていた地所につき、上告人の親戚等が上告人の家名維持のために相談し、親戚の一人たる被上告人がこれを上告人から買受け、そのさい、他日上告人の性行が改まり買受け資金を得るに至つたならば原価で上告人へ売渡すという予約をしたが、右予約成立後十年以上経過してから上告

人が予約完結権を行使した事件で、大審院は次のように予約完結権は時効消滅したと判定する。

「消滅時効ハ権利ヲ行使スルコトヲ得ル時ヨリ進行スルモノニシテ売買ノ予約ニ於ケル相手方ノ権利ハ特ニ其行使ニ付キ始期ヲ定メ又ハ停止条件ヲ附シタルモノニ非サル限リハ予約成立ノ時ヨリ之ヲ行使シ得ヘキモノナレハ其消滅時効ハ此時ヨリ進行スルモノトス本件ニ於テ原院ハ被上告人等ノ売買予約ハ其成立後何時ニテモ上告人ヨリ之カ履行ヲ求メ得ル約旨ナルコトヲ各証拠ニ依リテ判示シ上告人カ性行ヲ改メ買受ノ資力ヲ回復シタル時ヲ以テ其始期ト為シ又ハ停止条件ヲ附シタルモノト認メサルモノナレハ原院カ予約ノ成立ト同時ニ消滅時効ノ進行ヲ始ムルモノト為シタルハ相当ナリ」（大判大一〇・三・五民録二七・四九三）

この判例理論に対しては、再売買の予約完結権や買戻権は、一種の物権的取得権たる性質を有することがあるから、そのような場合には期間をむしろ二十年とすべきではないかとの疑問もある（判民大一〇年三四事件平野評釈、我妻三七九頁等参照）。

第三者のためにする契約において第三者の受益の意思表示を為しうべき権利の消滅時効の起算点は当該契約成立の時である（大判昭一八・四・一六民集二二・二七一。ただしこの点が正面から問題になった事案ではない）。ただし、これについては、第三者が受益の意思表示をなしうる権利につき消滅時効を考えるというよりも、むしろ受益の意思表示の結果として第三者が取得する権利の消滅時効のみを問題とすべきではないかとの異論もある（右大判に対する判民昭一八年一八事件来栖評釈、末川・判批民商法一八・六・六三九。なお後述(2)を参照）。

(2)　形成権行使の結果生ずる請求権など　形成権が行使されると、その結果として、形成せられた法律関係に即応した事態を現出せしめんがための請求権等が発生する（例えば、契約解除に基く原状回復請求権）、かような請求権は形成権の行使によって（形成権の行使の時に）発生した権利であると一応考えられるが、そうだとすると、この請求権の消滅時効は形成権行使の時から始めて進行するのであろうか。判例はこれを肯定する。すなわち、堤防に定着する石垣の売買における買主が、履行期から十年近く経過した後に契約を解除し、その後さらに数年を過ぎてから、かつて支払つた売買代金の返還請求をした事件において、大審院は売主の時効の抗弁を排斥し右返還請求権は未だ消滅時効にかかつていないと判決した。

【30】「上告論旨第四点ハ……履行期日ヨリ将ニ十年ニ垂ントシテ契約ヲ解除シ更ニ解除ノ時ヨリ原状回復義務ノ時効ヲ起算スルトキハ直接履行請求権及ヒ損害賠償請求権カ早ク消滅スルニ原状回復請求権ノミ存続スルノ不権衡ヲ生スヘシ……ト云フニ在リ

然レトモ契約ノ解除ニ因ル原状回復ノ請求権ハ契約ノ解除ニ因リテ新ニ発生スル請求権ナルヲ以テ其時効ハ契約解除ノ時ヨリ進行スヘキモノトス故ニ原判決ハ正当ニシテ所論ノ違法ナシ」（大判大七・四・一三民録二四・六六九）

この判例理論に対しては、これに疑問を抱く学説が近時有力である。すなわち、形成権はそれ自身としては無内容なもので、解除権の場合でいえば、契約を解消して原状回復や損害賠償を請求する手段、ないしはそれら請求権行使のための単なる観念的前提にすぎない。ゆえに、形成権とその行使によつて主張しうる法律効果とを一体のものと考え、形成権（解除権等）の存続中に両者（原状回復請求等をも）を主張しなければならないとするものである（川島「時効および除斥期間に関する一考察」同氏民法解釈学の諸問題所収、我妻三一八頁・三四二頁、山中三二三頁、松坂二二三頁、我妻・債権各論上巻・二〇九頁等）。この見解に従えば、形成権行使の結果として生ずる原状回復等の請求権については独立に消滅時効を考える余地はなく、それは前提たる形成権の消滅時効（あるいは除斥期間）に取りこまれてしまう。ゆえに、これら請求権の消滅時効ないし除斥期間の起算点は当然に前提たる形成権におけるそれと一致すべきことになる。ちなみに、ドイツ民法は「請求権ノ発生ガ、権利者ガ自己ニ属スル取消権ヲ行使スルコトニ係ルトキハ、消滅時効ハ取消ヲ為シ得ル時ヨリ進行ス」と規定する(二〇〇条)。とにかく、この反対説によると、右【30】については、履行期から十数年経過後の(解除による)原状回復請求は既に消滅時効にかかっている(十年より少し前になされた解除の意思表示といえども、この請求権の消滅時効――だとして――の中断とはなりえない)として棄却せらるべきものということになる。もつとも、以上の反対説は法定解除権・取消権のごとく法の規定によって生ずる形成権については留保なしに主張せられ得ようが、約定解除権のごとく意思表示によって生ぜしめられた形成権については右反対説主張のごとく扱うか、あるいは判例理論のごとく二段構えの時効を考えるかは当事者の意思にかかるものとの留保を附する余地はあるかも知れない(我妻・債権各論上巻・二一三頁参照)。

同じく、取消権の行使と、その結果たる権利関係についての判例を掲げよう。賃借人の親権者たる母が親族会の同意を得ずして(民法改正前八八六条参照)賃貸借契約の合意解除をなしたための、取消しうべき右賃貸借解除があとで取消されたが、右合意解除の取消によって遡って復活する賃借権なる債権の消滅時効(この場合は商事の五年)は取消の時から起算するか、始めの解除に前後して事実上目的物を使用しなくなつた時から起算するかの争において、大審院は左のようにいつて前説を支持した。

【31】　「被上告人ノ親権ヲ行フ母……カ上告人ト為シタル本件賃貸借契約解除ノ合意ハ親族会ノ同意ヲ欠キタル為取消シ得ヘキモノナレトモ其ノ取消ナキ以上ハ被上告人等ハ法律上其ノ権利ヲ行使シ得サルモノニシテ被上告人等ノ賃借権ノ消滅時効ハ進行ヲ始ムルコト能ハサル状態ニ在リタルモノト云ハサルヘカラス被

上告人等カ右解除ノ合意ヲ取消シタルトキハ法律上斯ル合意ナカリシト同一ノ効果ヲ生スルコトハ所論ノ如シト雖モ被上告人等ハ右取消ノ意思表示ヲ為ス迄法律上其ノ賃借権ヲ行使スルコトヲ得サル状態ニ在リシコトハ又之ヲ否定スルコトヲ得ス若シ斯ル状態ヲ終了セシメント欲スルトキハ上告人ハ民法第十九条ノ規定ニ従ヒテ催告ヲ為スコトヲ得ヘク上告人カ追認ヲ得タルトキハ解除ハ有効トナリ後日何等ノ問題ヲ残スコトナク解除カ取消サレタルトキハ此ノ時ヨリ時効ハ進行ヲ始ムヘキ筋合ナレハ以上ノ如キ状態ヲ長ク存続セシメタル責任ノ一半ハ上告人自身ニ存スルモノト云フヘシ」（大判昭一二・五・二八民集一六・九〇三）

この判決も前掲【30】で示された判例理論からすれば当然ということになろう。もつとも、この【31】の具体的事案についていうと、そもそも合意解除の取消権じたいが追認をなしうる時からの五年以上の経過で消滅しているもののごとく（民法一二六条参照）、これを主張すれば——判例理論によっても（前述(1)——勝訴したと思われるのであるが、何故か当事者はこれを主張していない（本件に対する判民昭一七年六四事件有泉評釈、民商法七・一・九〇末川判批参照）。

同様の判例をいまひとつ。XがAに預けておいた金を、何ら代理権なきYがXの代理人と称してAから受領したのに対し、Xは十数年後にいたり右Yの無権代理行為を追認し、間もなくYに対し右受領金を請求する事案。大審院は左のごとくいつてYの消滅時効完成の抗弁を拒ける。

【32】「無権代理行為ヲ追認シ之ニ因リテ右行為カ其ノ当初ニ遡リテ……効力ヲ生スルニ至ル迄ハ……（Xにおいて）該代理行為ノ自己ニ対シテ有効ナルコトヲ前提トスル前記受領金引渡ノ請求ハ法律上ニ於テモ之ヲ為スコトヲ得ス追認ヲ為スニ及ヒテ始メテ此ノ時ヨリ右引渡請求権ヲ行使シ得ルニ至ルモノナリ故ニ此ノ追認ヲ為シタル時ヨリ該受領金引渡請求権ノ消滅時効ハ其ノ進行ヲ始ムルモノニシテ斯ク解スルモ理論上所

論ノ如ク消滅時効ノ進行ニ付権利者必ス権利ノ発生ヲ知ルノ要アリトノ結論ニ到達セサルヘカラサルモノニ非ス」（大判昭一七・八・六民集二一・八三七）

この事件でも、無権代理行為の追認権という一種の形成権じたいが判例のいう十年（前述(1)）の消滅時効にかかっていると見られるのに、当事者は主張していない（判民昭一七年四三事件林評釈、民商法一七・三・三一一勝本判批参照）。

(3)　法定解除権についての特殊問題　形成権たる解除権については既に(1)(2)において判例理論や問題点を指摘したが、解除権のうちの法定解除権（民法五四一条以下）――実際問題としては解除とはほとんどすべて法定解除権のケースであるが――については、右(1)(2)で述べた以外にも問題がある。すなわち、約定解除権はそれ自体が一個の独立の権利であると考えることができるが、法定解除権は債務不履行の責任を追求するために認められる権利であり、その意味では本来の履行請求権（本来の債権）が債務不履行という事態の発生によって法律上当然に変形したものに過ぎず、本来の履行請求権との間にはなお同一性が維持されていること、債務不履行による損害賠償請求権（前出【19】参照）と異るところはないから、法定解除権じたいの消滅時効は法定解除権発生の時（債務不履行の時）から起算しての十年ではなくて、本来の履行請求権じたいの消滅時効と同じ起算点と同じ時効期間によるべきではないか、という疑問である（我妻・債権各論上巻・二〇七頁参照）。

この反対説によれば、債務不履行を理由とする契約解除に基く原状回復請求権の消滅時効は解除権行使の時から始めて進行を開始するという判例理論（前出【30】）は誤りだというにとどまらず、かかる請求権はその前提たる形成権（ここでは解除権）の存続中に行使することを要するとして、その法定解除権の消滅時効の起算点は当該解除権発生の時（債務不履行等の時）よりも繰り上つて本来の債権の消滅時効の起算点と一致すべきであり、その場合に解除権を行使しうる期間は判例のいう十年（前述(1)）よりも短くなることが少なくないということになる（本来の債権の消滅時効期間が五年とか、あるいはそれよりさらに短い場合などには、解除権の期間もこれに従うからである）。たしかに、本来の債権とその債務不履行による損害賠償債権とを消滅時効に関して一本のものと考える判例理論（前出【19】）から見て、また、前記【30】における上告論旨のいうように本来の履行請求権やその損害賠償請求権が既に消滅した後にも解除して原状回復を請求する権利だけは存続するという不権衡を考えると、右のような反対論は傾聴に値するものをふくむといわざるをえまい。

五　請求または解約申入をして後一定期間を経過してから現実に請求をなしうる権利かような債権等にあつては、前提となる請求（あるいは解約など）がなされたならば、それから所定期間を経過した時から現実に請求をなし得、債務者は遅滞におちいることは疑がないが、逆に、前提たる請求等は時効進行開始のための絶対的条件であるか（如何に長期間でも請求等がないかぎりは時効は進行しないのか）。これを肯定すると、なまじ請求等積極的行為に出でた権利者よりも、全然放置しておいた権利者の方が得をするという奇妙な結果になる。といつて、およそ請求（前提たる請求）等をなしうる時から時効が進行するものと解すると、時効期間満了までに権利者が現実に権利行使をなしうる期間は、〔時効期間〕から〔所定の猶予期間〕を減じたものということになり、一般の場合よりも権利者が不利になる。そこで、時効の進行に関するかぎりは右猶予期間を前へいわば平行移動させる、つまり、前提たる請求等をなしうる時から所定猶予期間だけ経過した時、から時効は進行する（前提たる請求等を権利者が現実に為さなくとも）と解することが合理的である（我妻・三六九頁等参照）。これは、期限の定なき債権で債権者は何時にしても請求をなし得、請求をなした時から債務者は遅滞に陥るごとき債権にあつては、請求の有無にかかわらず、債権発生の時から時効は進行を開始するという理論（前出【23】等）を認める以上当然に引き出される結論であろう。弁済の請求があつた時から三ヶ月内に弁済する約束の預金債権（消費寄託債権）につき、大審院は右の理論を採つた。

【33】（前出【15】と同事件。【15】に続く部分）

「而シテ債権者カ履行ノ請求ヲ為シタル後一定ノ期間内ニ債務ヲ履行スヘキ特約アル債権関係ニ於テハ債権者ハ債権成立後何時ニテモ任意ニ履行請求権ヲ行使シ履行期ヲ到達セシメ得ヘキモノナレハ斯ル債権関係ニ付テハ其成立後契約ノ期間ヲ経過シタル時ヨリ債権ノ消滅時効ノ期間ヲ起算スヘキモノトス蓋シ……前履行請求後一定ノ期間ヲ経過スルニ非サレハ消滅時効ノ進行ヲ始メサルモノトセンカ債権者カ履行ノ請求ヲ為ササレハ消滅時効ハ永久ニ進行セサルノ結果ヲ来タシ法律カ時効ノ制度ヲ設ケタル立法ノ精神ヲ没却スルニ至ルヘケレハナリ」（大判大三・三・一二民録二〇・一五二）

同様に、被保険者死亡の場合は保険金受取人が医師の診断書等を提出して保険金支払を請求した時から一ヶ月内に支払うという保険契約についても同様である。

【34】「右保険契約ニ於テハ原則トシテ被保険者カ死亡シタルトキハ保険金受取人カ㈠被保険者ニ対スル医師ノ診断書又ハ検案書㈡被保険者ノ戸籍謄本ヲ提出シテ保険金ノ支払ヲ請求シタル時ヨリ一ヶ月以内ニ保険金ノ支払アルヘキ旨約定シタルコトヲ推知シ得ヘク而カモ斯ノ如キ場合ニアリテハ保険金受取人カ保険者

ニ対シ前示書類ヲ提出シ得ヘカリシ時ヨリ一ケ月経過シタル時ニ於テ保険金債権ニ付消滅時効ノ進行ヲ開始スルモノト解スルヲ相当トス」（東京控判大一三・一二・七新聞二三四〇・一七）

なお、右に述べた判例・学説の理論は、猶予期間が確定期間である場合も、いわゆる「相当ノ期間」である場合も（例えば民法五九一条一項の債権）、適用を異にするものではない（我妻・三七〇頁等参照）。

六　一定の条件のもとで債務者が期限の利益を喪失する場合の権利――特に割賦払債権の場合

割賦払債務において一回でも（あるいは二回以上という式に指定しても理論的には同じである）弁済を怠ったならば残金全額一時に弁済を請求されても異議はないとか、月賦弁済の利益を失うとか、全額一時に支払う責に任ずるとかいった表現の契約条項が挿入されることが珍しくない。そして或る回の分の弁済を怠り債権者側も特別の措置を執らずに時日が経過して時効が問題になった場合、左の二つの考え方のいずれを採るべきかが問題となる。

(i)　一回の不履行があっても、残額全部につき当然には時効は進行を開始せず、債権者が特に残額全部の弁済を請求する等の意思を表示した時に始めて残額全部の時効が進行を始める（これだと、かなり長く放置しても各期の分割分が古い方から逐次時効にかかることはあっても、全額が時効にかかるというのは仲々のことである）――以下かりに「債権者意思説」とよぶ。

(ii)　一回の不履行により、残額全部についての時効は、当然その時（一回の不履行の時）から進行を開始する――以下かりに「即時進行説」とよぶ。

(1)・古くは大審院は債権者意思説を採った。

【35】「若シ月賦弁済ヲ怠リタルトキハ一時ニ残金悉皆ノ弁済ヲ請求セラルルモ無異議旨ノ約アル場合ニ

於テハ……月賦弁済ノ延滞ヲ理由トシ月賦弁済ノ約定ヲ取消シ一時ニ残金悉皆ヲ請求スルヲ得ルハ全ク債権者ノ権利ナリ故ニ債務者カ月賦弁済ヲ怠ルモ其権利ヲ行使スルト否トハ債権者ノ自由ニシテ債権者ニ於テ月賦弁済ノ約定ヲ取消スノ意思ヲ表示セサル限リ該契約ハ依然トシテ有効ニ存在スルモノナルコト明カナリ而シテ月賦弁済ノ約定カ有効ニ存在スル限リハ未タ弁済期ニ至ラサル金額ニ付一時ニ弁済ヲ請求スルノ権利発生セサルハ勿論ニシテ未タ権利ノ発生セサルニ先タチ時効ノ進行ヲ始メサルハ自明ノ理ナリ」（大判明三九・一二・一民録一二・一五九八）

ところがその後大正七年の判決では逆に、「即時進行説」に変じた。

【36】　「本件消費貸借ニ付テハ……分割弁済スヘク一回タリトモ支払ヲ延滞スルニ於テハ一時ニ未払債務額全部ヲ弁済スヘキ特約ノ存スル……所ナレハ上告人ニ於テ第一回ノ月賦弁済金ノ支払ヲ延滞スルニ於テハ被上告人ハ其時ヨリ債務全部ノ弁済ヲ請求スルコトヲ得ヘクシテ時効ハ此時ヨリ債権全部ニ対シ進行ヲ始ムヘキモノトス」（大判大七・八・六民録二四・一五七〇）

この即時進行説は、その後かなり長くほぼ支配的であつたもののごとく、昭和十年前後にも現われており（大判昭八・一一・二二新聞三七〇一・一八、大判昭一一・二・四判決全集三・三・四、大判昭一二・二・二一法学七・四・五三二）、下級審にもこれに従う判例がすくなくない（東京地判大一一・五・五新聞二〇七七・一八、東京地判大一五・四・二評論一五商法五〇〇、東京地判昭五・八・二〇新聞三一六八・九）。

しかしながら、即時進行説が大勢を制するかに見えた時期においても、いわば中間説ともいうべき左の二判決のごときも見られる。すなわち、即時進行か、債権者意思によるかは、一律に断ずべきではなくて、当該具体的ケースごとに契約当事者の意思を探究して判定すべきだとするものである。もつとも、この二判決も、具体的に見ると、前の昭和四年の【37】は、原審が漫然と債権者意思説的判断をしたのは審理不尽なりとしたのであるから、中間説とはいいながら未だ即時進行説の大勢のなかにあるものといえるのに対し、後の昭和一二年の【38】は、逆に、原審が漫然即時進行と断じたのは審理不尽なりとするものであるから、ここに大正七年以来の判例の趨勢が逆転する萌しが見られるわけであつた。

【37】「所謂月賦弁済ノ場合ニ於テ月賦金ヲ一回タリトモ延滞セルトキハ月賦弁済ノ利益ヲ失フヘキ旨ノ約束ハ分割弁済ノ恩恵ヲ与ヘルニモ拘ラス債務者カ不誠実ナルトキハ債権者ハ最早寛容セストノ趣旨ニ過キサレハ債権者ヨリ全額ノ請求アレハ債務者ハ分割弁済ノ抗弁ヲ為スコトヲ得スト雖債権者ハ必スシモ常ニ全額ノ請求ヲ為ササルヘカラサルモノニ非ス一時ニ全部ノ支払ヲ求ムルモ或ハ従前通リ分割弁済ヲ求ムルモソハ一ニ債権者ノ自由ニ属シ従テ債権全額ニ付テ弁済期ノ到来スルハ債権者ヨリ全部ニ付一時ノ支払ヲ求ムル意思ヲ表示シタルトキニアリト解スヘキ場合モアルヘク或ハ否ラスシテ月賦金ヲ一回タリトモ怠ル以上債権者ヨリ何等ノ表意ナク当然ココニ債権全額ノ弁済期到来スル趣旨ノ場合モアルヘシ其ノ孰レナルカハ諸般ノ事情ヲ斟酌シ当事者ノ意思ヲ解釈シテ決スヘキナリ然ルニ原審ハ単ニ……『月賦金ヲ一回タリトモ延滞シタル時ハ月賦弁済ノ利益ヲ失ヒ一時ニ弁済スルコト』ノ条項ニヨリ債権者ニ於テ全額ニ付支払請求ノ意思ヲ表示セサル限リ弁済期到来スルモノニ非スト解シ其ノ前提ノ下ニ時効ノ進行ヲ判断シ以テ上告人ノ請求ヲ排斥セルハ審理不尽ト云ハサルヘカラス」（大判昭四・三・二二裁判例三民法五二）

【38】（頼母子講の掛返債務に関して）「分割払ノ債務ニ付債務者カ一回タリトモ弁済ヲ怠リタルトキハ全額一時ニ支払ノ責ニ任スヘキコトヲ約シタル場合ト雖必スシモ一回ノ懈怠ニヨリ残額全部ニ付当然弁済期到来スルモノトスル約旨ナリトハ限ラス債務者ノ懈怠後分割弁済ノ利益ヲ喪失セシムヘキヤ否ヤハ一ニ債権者ノ意思ニカカリ債権者ノ意思表示ヲ待チテ始メテ債務者ハ期限ノ利益ヲ失ヒ全額ニ付弁済期到来スルモノトスル約旨ナルコトモ必スシモ稀ナリトセス而シテ後ノ場合ニ於テハ全額ニ対スル時効ノ進行ハ債務者カ分

割払ヲ怠リタル時ヨリ開始スルニ非スシテ債権者ノ意思表示アリタル時ヨリ開始スルモノナルコト当院ノ判例トスル処ナリ（前記【37】を引用＝筆者）然ルニ本件ニ於テ上告人ノ主張ハ只『一回ニテモ掛返ヲ怠リタル時ハ残額全部ヲ一時ニ支払フヘキ特約アリタリ』ト云ヘルノミニテ右孰レノ趣旨ナリヤニ付何等明確ノ主張ナキニ拘ラス原審ハ此ノ点ヲ明ニセス被上告人ノ払込懈怠ニヨリ残額全部ニ付時効ノ進行開始シタルモノト判断シテ時効ノ抗弁ヲ是認シタルハ審理不尽ノ違法アルモノト云ハサルヘカラス」（大判昭一二・二・一二民集一六・八八）

なお、右の二つの判決の間にはさまる時期のものとして、債務者が他から強制執行を受けたときは期限の利益を失う旨の特約ある事案についてであるが、右【38】と同じく債権者意思説を採る左のような判例もある。

【39】　「原判決ハ証拠ニ依リ本訴貸金ニハ債務者タル被上告人ニ於テ他ヨリ仮差押其ノ他ノ強制執行ヲ受クルニ至ルトキハ期限ノ利益ヲ失フ旨ノ条項アルトコロ被上告人ハ其ノ所有動産ニ対シ訴外……ヨリ強制執行ヲ受ケ其ノ執行ハ大正十二年五月二十二日ニ完了シタリトノ事実ヲ認定シ本訴債権ニハ別ニ履行期ノ定メアルモ右特約ニ定メタル事実ノ到来ニ依リ債権ハ無期限ノモノトナリタルモノナルヲ以テ該債権ハ商事時効ニ依リ其ノ翌日ヨリ五年後ニ於テ消滅シタリト為シ上告人ノ請求ヲ排斥シタルモノナレトモ凡ソ金銭貸借ニ於テ如上約款ヲ附加スルニ当リテハ特別ノ事情ナキ限リ当事者ハ債務者カ差押ヲ受クルカ如キ事実アリテ其ノ弁済資力ニ信頼シ得サル状況発生シタルトキハ債権者ニ於テ任意ニ債務者ノ有スル期限ノ利益ヲ奪ヒ債権ノ弁済ヲ確保スヘキ手段ヲ採リ得ルコトヲ約スルノ意思ヲ有シタルモノト解スヘク従テ此ノ如キ約款アル場合ニハ之ヲ働カシムルト否トハ全ク債権者ノ自由ナル裁量ト処分ニ委ネラレタルモノト為スヘク債権者ニシテ約款ニ依リ即時ノ弁済ヲ受ケントセハ債権者ハ此ノ方法ヲ採リ得ヘク又若之ヲ欲セス旧来ノ履行期ニ従テ弁済ヲ受ケントセハ之ニ依ルモ亦妨ナカルヘキ主旨ヲ以テ契約セラレタルモノト認ムヘキヲ相当トス故ニ……本来ノ弁済期ヲ変更スヘキ形成権ヲ行使シタルモノト認メ得ヘキ事実ナキニ於テハ他ヨリ強制執行ヲ受ケ

タル事実アルノ故ヲ以テ直ニ期限ノ定カ当然ニ其ノ効力ヲ失ヒ旧来ノ債権カ債権者ノ何時ニテモ履行ヲ求メ得ヘキ債権トナルモノト即断スヘキモノニアラス原審カ前項約款ヲ如上説示ト異ル意味ニ解スヘキ特別ノ事情アリヤ否ヤ又債権者カ本訴債権ノ履行期ヲ変改スヘキ意思ヲ表示シタルコトナキヤ否ヤヲ判定セスシテ債務者カ他ヨリ強制執行ヲ受ケタル事実ニ因リ直ニ本訴債権ハ即時ニ履行ヲ為スヘキモノニ変リタルモノト為シ之ニ基キテ時効ノ起算点ヲ定メ上告人ノ請求ヲ棄却シタルハ審理ヲ尽ササルノ憾ナキヲ得ス」（大判昭九・一一・一民集一三・一九六三）

かように明治年間いらい昭和十二年頃までの間の判例は極めて動揺しほとんど帰一するところを知らずといってもそれほど誇張ではない有様であったが（この時期までの判例については我妻「月賦弁済債務の消滅時効の起算点」法協五六巻九号参照）、昭和十五年の左記連合部判決により大審院の態度は債権者意思説に確定した。

【40】「割賦払ノ債務ニ付債務者カ一回タリトモ其ノ弁済ヲ懈怠シタルトキハ債務者ハ割賦払ニ依ル期限ノ利益ヲ失ヒ一時ニ全額ヲ支払フヘキ旨ヲ特約シタル場合ト雖其ノ特約ノ趣旨カ一回ノ懈怠ニ依リ当然期限ノ利益ヲ喪失スルコトナク之カ為ニハ債権者ニ於テ全額ニ付一時ノ支払ヲ求メ期限ノ利益ヲ喪失セシムル旨ノ意思表示ヲ為スコトヲ必要トスルモノナルトキハ債権全額ニ対スル消滅時効ハ右ノ意思表示ノ時ヨリ其ノ進行ヲ開始スヘキモノトス蓋シ斯ル場合ニ於テハ期限ノ利益ヲ喪失セシムルヤ否ヤハ債権者ノ自由ニ属シ債権者ハ債務者ノ懈怠ニ拘ラス尚従前ノ通リ割賦弁済ヲ求メ得ヘク債権者カ債務者ノ懈怠ヲ尤ムルコトナク特ニ前示ノ意思表示ヲ為ササルニ於テハ債務者ハ依然トシテ割賦弁済ニ依ル期限ノ利益ヲ保有スルコト勿論ニシテ初メヨリ弁済期ノ定ナキ債権ト同視スルコトヲ得サレハナリ是レ当院ノ従来判例トスル所ニシテ（前記【37】を指示＝筆者）右ト抵触スル当院判例ハ之ヲ変更スヘキモノトス」（大連判昭一五・三・一三民集一九・五四四）

かようにして確定した判例理論を分析すると以下のごとくである。(i)この種特約は、当事者の意思により、(a)一回の不履行で当然残額全部の履行期が到来する趣旨である場合と、(b)債権者の意思表示（一種の形成権の行使）があつて始めて残額全部につき履行期到来する趣旨である場合とがある。(ii)みぎの(b)である場合の残額全部についての消滅時効は、債権者の特別の意思表示があつた時から進行を始めるのであつて、この点、始めから期限の定なき債務の場合とは事情が異る（単なる期限の定なき債権ならば債権者の請求を必要条件と解すれば消滅時効は未来永久に進行を開始せず従つて完成もしないという不合理があるが、割賦払の場合ならば、債権者の意思表示を必要条件と考えても、将来の既定の時期に達するごとに部分的にではあるが消滅時効は自動的に進行を開始する）。

右の判例理論に対しては、賛成する学説もあるが（末川・民商法一二巻三号五五八頁、岩田・新報五〇巻一二号一九七五頁、柚木判例四三四頁、今泉五七一頁、勝本・三四二頁等）。反対する学説も有力である（鳩山六三一頁、判民昭一五年二八事件我妻評釈、我妻三七〇頁、松坂二五二頁、山中三四六頁等。なお判民昭一〇年六六事件戒能評釈）。問題は、右(i)(b)の場合といえども債務者附遅滞の時期と消滅時効起算点とは必ずしも一致しないと考える余地があること、それについては、割賦特約のごときは債務者に特別に与えられた特典なる点に重きをおき右特典の喪失が直ちに両刃の剣として債権者を逆に縛ると解することは債権者にとつて苛酷であると考えるか（判例理論―これだと、特約の趣旨が前記(i)の(a)か(b)かにより時効の起算点に差異が出る）、およそ請求の可能性という利益を有する債権者は消滅時効の進行という不利益も当然甘受すべく、割賦特約なると通常の期限の定なき債務等との間に質的差異なしという点に重きをおくか（反対説―これだと、特約の趣旨如何にかかわらず時効起算点は一律である）、の立場の相違である。なお、原則として即時進行説を採りながらも、講のごときゲノッセンシャフト的要素をふくむ契約にあつては、判例理論（右(i)のうち(bなりと判定した上での債権者意思説）の結論を支持する学説もある（【38】に対する判民昭一二年九事件戒能評釈）。

七　不作為債権

一定期間一定場所に建物をたてないというような不作為債権については、消滅時効の起算点は何時か。形式的に不作為債権が成立し履行期が到来した時などから起算すると解すると、例えば、二十年間建築をしないという債務の場合に始め十年間約束通り建築をしなければ（この間は履行があるから債権者は文句のつけようがない）不建築の債務は時効消滅してしまい爾後は建築自由という不都合を生ずる。かかる不作為債権にあっては債務者が不作為を守っている間にも観念的には債権を行使しうる（また現に行使している訳であるが）のではあるが、債権者として現実的かつ積極的な権利行使の態度に出る必要はないし、出ることを期待もしえない、つまり消滅時効の進行に関するかぎりは未だ権利を行使し得ない状態にあると見るのが妥当であろう。これに関する判例は一寸見当らないようであるが、学説は一般に、ドイツ民法一九八条「……請求権ガ不作為ヲ目的トスルトキハ、消滅時効ハ違反行為ノ時ヨリ進行ス」にならい、違反行為のあった時（前記例では約に反して建築をした時）から起算すべきものと解している（我妻三七一頁、於保三一一頁、勝本三四三頁、松坂二五二頁等）。

時効の中断

幾代通

はしがき

本稿の対象は、時効の中断つまり民法一四七条から一五七条、および一六四条である。時効とくにその中断に関する右の諸条項のごときは、実際上は比較的技術的性格が強く社会的経済的事情の変遷といったことによつて影響を受ける面が稀薄なせいか、最近にいたるほど判例は少く、最高裁になつてからも実質的に判例法上注目される判例もないようである。ともあれ、訴訟法その他の領域との関係も深いこの問題につき菲才をもつて何処までまとめ得たか心もとない。大方の御叱正を仰ぎたい。

なお、文中において比較的に多く引用した著書の略記号を便宜上左に掲げておく。

於保……於保不二雄・民法総則講義。　勝本……勝本正晃・新民法総則。　近藤……近藤英吉・民法大綱（総則）。　鳩山……鳩山秀夫・日本民法総論。　松坂……松坂佐一・民法提要（総則）。　三瀦……三瀦信三・民法総則提要。　山中……山中康雄・民法総則講義。　柚木……柚木馨・判例民法総論下巻。　薬師寺……薬師寺志光・日本民法総論新講。　我妻……我妻栄・民法総則（民法講義Ⅰ）。　我妻有泉……我妻栄、有泉亨・民法総則・物権法（コンメンタール）。

一　時効の中断事由

時効の中断事由には、取得時効・消滅時効双方に共通な中断事由（民法一四七条以下）――いわゆる法定中断の場合――と、取得時効のみに特有な中断事由（民法一六四条）――いわゆる自然中断の場合――とがある。以下、法定中断事由・自然中断事由の順で述べる。

一　請　求

民法一四七条一号にいう「請求」とは、裁判上・裁判外の一切の請求を包含すると見られるが（東京控判明四一・一二・二七新聞四八九・七）、具体的には、裁判上のものとしては訴の提起、支払命令、和解のためにする呼出および破産手続参加であり、裁判外のものとしては催告である（大判大五・六・二一民録二二・一二五一）。もっとも、「裁判上の請求」という語は、右のように広く司法機関を通じてなす請求を総称する場合と、狭く判決手続を通じてなす請求をさす場合（民法一四九条など）とがある。

(一)　裁判上の請求（訴の提起）

(1)　意義　時効中断事由たる請求のうち、最も典型的かつ明白な形のものは、裁判上の請求、換言すれば訴を提起することである（民法一四九条参照）。以下、かような意味での裁判上の請求といいうるための要件につき分説する。

（イ）　民事上の訴の提起であること　裁判上の請求すなわち訴の提起とは、私権をその相手方たるべき者に対して主張して民事の裁判を請求することを意味するというべきであり（大判大五・一二・八民録二二・二三八七）、およそ何らかの国家機関に対して権利の主張をすることというほどに広い意味ではない。ゆえに、旧憲法時代の行政訴訟や行政訴願は、行政処分の取消や変更を求めることを直接の目的とするものであるから、中断事由にはならないとされた(大判大五・二・八民録二二・三八七)。現憲法のもとでも、行政庁に対する訴願・審査の請求・異議の中立などは勿論(我妻三五三頁、今泉五〇七頁)、行政庁の違法な処分の取消または変更を求める訴(行政事件訴訟特例法二条)じたいも、義務者に対する裁判上の権利行使とはいいえないから、ここにいう裁判上の請求には属しないと見るべきであろう(柚木三八五頁)。

「裁判上ノ請求」とは、訴の提起をいうのであつて、訴訟における単純な抗弁として当該権利を主張することを含まぬとされる。所有権に基く明渡請求の催告(内容証明郵便)をして後にその相手方から訴訟を提起され、当該訴訟の口頭弁論期日において所有者たることを理由に相手方(原告)の主張に対して抗争したこと(先の内容証明郵便から六ケ月内)が裁判上の請求として先の催告に時効中断の効果を賦与しうるかが争われた事案において、

【1】「民法第百四十九条ニ所謂裁判上ノ請求ハ訴ノ提起ヲ謂フモノニシテ原告ノ主張ニ対スル単純ノ抗弁ノ如キハ之ニ包含セサルヲ以テ原審カ之ヲ以テ時効中断ノ事由タル裁判上ノ請求ト為シタルハ失当ナルモ……(かかる抗弁に対し相手方が訴訟手続において抗弁者の権利を承認したと見られるがゆえに時効中断となることはありうる)」(大判大九・九・二九民録二六・一四三一)

なお、訴の提起というが、それは、時効が進行を開始して後に提起される場合(これが普通の事例であるが)は勿論、時効進行開始前にすでに提起された訴訟が時効進行開始後になお繋属中である場合をも含むことは、

時効やその中断の制度の趣旨からいって当然であろう。

【2】（後出【10】と同事件）「消滅時効中断ノ原因タルヘキ裁判上ノ請求カ時効ノ進行ヲ開始スル以前ニ提起セラレタル場合ニ於テ其ノ訴訟カ消滅時効ノ進行ヲ開始スヘキ時ニ於テ裁判所ニ繋属スル以上消滅時効ハ其ノ進行ヲ始ムルコトナク該訴訟ノ判決確定スル迄進行ヲ停止シ判決確定シタル時ヨリ新ニ進行ヲ始ムルモノナルコト明ニシテ之ヲ時効ノ中断ト解スルコト必スシモ妥当ナリト謂フヲ得サルモ」（原審の趣旨もまた進行を始めないという意味だから、妨げない）（大判昭五・六・二七民集九・六一九）

この判旨は、「中断」ではなく時効の進行開始の停止というふうにいっているが、あらゆる点で（例えば一四九条の適用に関して）中断そのものというべきであるから（判民昭五年六二事件我妻評釈）、中断以外の名称を附することも無用だとおもわれる（この点、まさに中断なりとする原審東京地判昭四・六・一二新聞三〇〇五・一二の方が明快である）。

（ロ）訴訟の形態

（a）給付訴訟など　中断事由たる訴の提起とは、通常の形で原告として訴を提起する場合は勿論、反訴を提起することをもふくみ、また請求の変更（民訴法二三二条）・拡張（民訴法二三四条）という形でなされるものをもふくむ（請求の変更・拡張による部分については、その時から中断力を生ずる。ただし本来の訴提起による中断力が後の拡張等の部分にも及ぶ場合があることについては後出(3)参照）。訴の種類としては給付訴訟が最も普通である。給付訴訟のうち特殊なものとして、手形時効の中断事由たる請求のうち裁判上の請求においては手形の呈示を要しないというのが大審院の一貫した態度である（手形債権の裁判外の請求については後出）、

【3】「手形ノ呈示ノ伴ハサル手形金支払ノ催告カ時効中断ノ効力ヲ有セサルモ裁判上ノ請求ノ場合ハ之ト異ナリテ手形ノ呈示ヲ為ササルトモ時効中断ノ効力アリ」（大判明四四・二・二三民録一七・七二）（同旨、大判明三九・六・二八民録一二・一〇四五）

ところで、白地手形に基く訴の提起に関しては、判例は、時効中断のためには手形要件の補充を必

要とすると解する。

【4】　白地のままでの訴提起は時効期間満了前になされたが、白地補充の時は既に時効期間満了後であった事案において、

「所謂白地手形ノ引受ヲ為シタル者ニ対スル手形所持人ノ手形債権ハ其ノ欠缺セル記載事項カ手形ニ補充セラレタルトキ始メテ発生シ其ノ補充セラレサル間ハ未タ権利ノ発生ヲ見サルモノナルカ故ニ斯ル手形ノ所持人カ其ノ欠缺セル記載事項ヲ補充スルコトナク之ニ基キ支払請求ノ訴ヲ提起シタレハトテ固ヨリ該手形上ノ債権ニ対スル時効中断ノ効力ヲ生スヘキニアラ」ず（大判昭八・五・二六民集一二・一三四三）

これに対しては、相手方を遅滞に陥らしめる権利行使とはいえぬにしても、権利の上に眠るものでないことは明かにされ時効の基礎たる事実状態の継続は破壊せられたのであるから時効中断力は認めらるべきだとの反対説がある（判民昭八年九三事件小町谷評釈、柚木三七三頁等）。

（b）　確認訴訟、とくに消極的確認訴訟における勝訴など　ここに訴の提起とは、当該権利の存在確認訴訟をもふくむ。ゆえに例えば、質入せられた債権の権利者（債権質設定者）はその債務者に対して給付訴訟は提起しえないが権利存在確認訴訟は提起しうるし、かかる確認訴訟は時効中断事由たりうる（大判昭五・六・二七民集九・六一九＝後出【10】）。

問題は、当該権利者が原告としてなす権利存在の積極的確認訴訟のほか、相手方から提起された権利不存在の消極的確認訴訟において被告として自己に権利が存在することを主張・抗争して勝訴した場合もこれに該当するか、である。大審院は古くは、左のように、問題を消極に解した。

【5】　「消滅時効中断ノ原因タル裁判上ノ請求ハ債権ノ満足ヲ目的トスル給付ノ訴ノミニ限ラス権利確認

ノ訴ヲモ包含スルハ所論ノ如シト雖時効中断ノ効力ヲ有スヘキ権利確認ノ訴ハ権利者ヨリ義務者ニ対シ提起シタル積極的権利確認ノ訴ナラサルヘカラス従テ義務者ノ権利者ニ対シ提起シタル消極的権利確認ノ訴ニ於テ権利者カ権利ノ存在ヲ以テ対抗シタルコトノ如キハ裁判上ノ請求トシテ時効中断ノ効力ヲ有スヘキモノニ非ス何トナレハ消滅時効ノ中断ナルモノハ権利者ノ権利不行使ノ状態ヲ中絶スルモノナレハ時効中断ノ事由ハ権利者カ権利ヲ行使スル行動ナラサルヘカラスシテ権利者カ義務者ノ提起シタル消極的権利確認ノ訴ニ於テ権利ノ存在ヲ主張シ之ニ対抗スルハ其ノ目的権利ヲ行使スルニ在ラスシテ相手方ノ請求ニ対スル防禦ニ存スレハナリ……本訴債権ノ不存在確認ノ別訴ニ於テ債権ノ存在ヲ主張シ勝訴ノ判決ヲ受ケタルコトヲ以テ……自ラ債権存在ノ確認訴訟ヲ提起シタルト同視スヘキモノニシテ時効中断ノ効力アリト論スルハ当ヲ得サ」るものである（大判大一一・四・一四民集一・一八七）

かような大審院の理論はその後も十年以上踏襲せられたが（大判昭六・一二・一七新聞三三六四・一四、大判昭六・一二・一九民集一〇・一二三七、大阪控判大一〇・一一・一四新聞一九八九・一七、東京控判昭七・七・二二新聞三四五七・一一）、これと反対の下級審判例も時として見られ（東京控判昭六・二・一七新聞三二四二・五）、学説は一般に大審院の理論に反対した（山田・判例批評民事訴訟法第一巻三三八頁以下、判民大一一年三〇事件我妻評釈、判民昭六年一三二事件我妻評釈、鳩山六〇一頁、穂積四六四頁、三潴四九九頁等）。

大審院は、昭和十四年にいたつて従来の態度を改め、消極的確認訴訟も時効中断事由たりうるとなすにいたつた。

【6】「凡ソ消滅時効ノ中断原因タルヘキ裁判上ノ請求ハ給付訴訟ノミニ限定セラルルコトナク確認訴訟ヲモ包含スルモノナルコトハ当院ノ夙ニ採用スル見解ナルカ故ニ右見解ニシテ是認スヘキモノナル以上相手方カ自己ノ権利ノ存在ヲ争ヒ消極的債務不存在ノ確認訴訟ヲ提起シタル場合ニ於テ之ニ対シ被告トシテ自己ノ権利ノ存在ヲ主張シ原告ノ請求棄却ノ判決ヲ求ムルコトハ之ヲ裁判上ノ権利行使ノ一態様ト做スニ何等ノ妨ナク……蓋シ消滅時効ノ中断ハ法律カ権利ノ上ニ眠レル者ノ保護ヲ拒否シテ社会ノ永続セル状態ヲ安定ナ

ヲシムルコトヲ一事由トスル時効制度ニ対シ其ノ権利ノ上ニ眠レル者ニ非サル所以ヲ表明シテ該時効ノ効力ヲ遮断セントスルモノナレハ……裁判上ノ請求ニ準スヘキモノト解スルモ毫モ前示時効制度ノ本旨ニ背反スルトコロナキノミナラス一方ニ於テ権利関係ノ存否カ訴訟上争ハレツツアル間ニ他ノ一方ニ於テ該権利カ時効ニ因リ消滅スルコトアルヲ是認セントスルカ如キ結果ヲ招来スヘキ解釈ヲ採用スルコトハ条理ニモ合致セサルモノト謂フヘケレハナリ加之若シ前示消極的確認ノ請求ヲ棄却スル判決ニシテ確定センカ其ノ結果ハ積極的確認請求ノ訴訟ニ於テ原告勝訴ノ判決カ確定シタルト同一ニ帰スヘキヲ以テ此ノ点ニ於テモ亦両者ノ間ニ時効中断事由トシテ観察スルニ当リ別異ノ取扱ヲ為スヘキ理由ニ乏シキモノト謂ハサルヲ得ス」（大連判昭一四・三・二二民集一八・二三八）

（c）　請求異議訴訟　右と同様の問題は、債務名義の内容たる債権は弁済によって消滅したりとして提起した請求に関する異議の訴において、被告が債権存在を主張して勝訴した場合にも生じうるわけであり、同じく当該債権につき時効中断たるべきものと解せられる。

【7】「請求ニ関スル異議ノ訴ハ債務者ノ異議権ヲ主張スル訴ナレハ之ニ対スル判決ハ異議権ノ存否ヲ確定スルニ過キスシテ実体上ノ請求権ノ有無ヲ確定スルノ効力ナキコトハ所論ノ如キモ右訴訟ニ於テ異議ノ原因トシテ主張シタル所カ債務名義ニ基ク債権ハ弁済ニヨリ消滅シタリト云フニ在リテ債権者ニ於テ弁済ノ事実ヲ否定シ債権ノ存在ヲ主張シテ原告ノ請求棄却ノ判決ヲ求メ債権者勝訴ノ判決確定シタルトキハ仮令其ノ判決ノ効力カ右債権自体ノ存在ヲ確定スルモノニ非サルモ債権ノ消滅ヲ理由トシテ債務名義ノ執行力ヲ排除シ得サルコト確定スルニ至ルカ故ニ実質上債権存在確定ト同様ノ結果ヲ見ルニ至ルヘキヲ以テ右異議ノ訴訟ニ於テ債権ノ存在ヲ主張スルコトヲ目シテ裁判上ノ権利行使ノ一態様ト為スハ債権不存在確認訴訟ニ於ケル場合ト同様何等妨ケナキ所ニシテ時効制度ノ立法ノ趣旨ニ徴スルモ亦右ノ如キ場合ハ民法カ時効中断ノ事由

トシテ規定シタル裁判上ノ請求ニ準スヘキモノト為スヲ相当トス」（大判昭一七・一・二八民集二一・三七）。

（d）形成訴訟　形成訴訟もここにいう裁判上の請求たりうる。

【8】「相隣地一方ノ所有者カソノ経界ヲ超エテ他人ノ所有ニ属スル隣地ヲ自己ノ所有地トシテ占有スル場合ニ於テ該隣地ノ所有者カ侵入者ニ対シ両地間ノ経界確定ノ訴ヲ提起シタル以上更ニ当該土地ニ付之カ所有権確定ノ訴ヲ提起セストモ右占有ニ基キテ侵入者ノ為ニ進行スル所有権ノ取得時効ハ茲ニ中断セラルルモノト解スルヲ相当トス……尤モ経界確定ノ判決確定スルモ所有権自体ニ付確定力ヲ生セスト雖モ経界ハ即チ之ニ依リ確定セラルルヘク従テ占有カ経界ヲ侵スモノナルニ於テハ斯カル違法状態ノ存在モ亦自ラ明瞭トナルヘキカ故ニ既ニ経界確定ノ訴カ提起セラレタル以上右ノ如キ事実状態ニ基ク取得時効ノ中断ヲ来スモノト做スニ妨ケ」はない（大判昭一五・七・一〇民集一九・一二六五）

（e）除権判決　公示催告の申立をなし除権判決を得ることは手形債権につき時効中断事由となるかにつき、大審院はこれを消極に解したもののごとく（大判昭四・六・二二民集八・五九七＝後出【19】と同事件＝ただし当事者がこの点を主張しなかつたから取上げられなかつたのだろうか）、また明瞭にこれを否定する左のごとき地裁判例が見られる

【9】「原告カ……被告ヲ受取人トシテ……約束手形一通ヲ振出シ……タルコトハ当事者間ニ争ナキトコロナリ原告ハ……手形債務ハ時効ニ因リ消滅シタル旨主張スルヲ以テ按スルニ……大正十二年緊急勅令第四百四号私法上ノ金銭債務ノ支払延期及ヒ手形等ノ権利保存行為ノ期間延長ニ関スル件第一条ニ依リ……約束手形ニ付キテハ同年十月八日ノ経過ニ因リ……時効完成スヘキモノトス被告ハ……手形ハ大正十二年ノ大震災ニ於テ焼失シタルカ右手形債務ヲ原告ニ於テ大正十三年十一月十五日承認シタルヲ以テ被告ハ……公示催告ノ申立テヲ為シ……約束手形ニ付イテハ昭和二年十二月一日夫々除権判決ヲ受ケタル……トコロナリト雖ヘトモ除権判決ハ申立人ニ証書ニ因リ義務ヲ負担スル者ニ対スル証書ニ因レル権利ヲ主張セシメ得ルニ止マ

リ除権判決自体ニ因リ時効ハ中断スヘキモノニアラス……被告主張ノ如ク大正十三年十一月十五日原告カ前示手形債務ヲ承認シ之レニ因リテ時効中断シタルモノト為スモ其ノ翌日……ヨリ時効進行シ昭和二年十一月十五日ノ経過ニ因リ時効ハ完成スヘキモノニシテ約束手形ニ付イテハ除権判決ハ其後ニアリタルモノナルヲ以テ被告ノ抗弁ハ勿論理由ナ」し（東京地判昭七・二・一九新聞三三八二・一五）

この問題は、右の判決の理論が一応筋が通つているというべきであろうが、手形債権の裁判外の請求は手形の呈示を要するとなす判例理論（後出【26】参照）を前提とすると、時効完成直前の手形の滅失・紛失の場合には、まず給付の訴を提起し（これには手形の呈示を要しない―前出【3】参照）、一方公示催告手続を採り除権判決を得るまでの間は右給付訴訟を事実上停止しておくようにするよりほか時効中断の方法はないことになり甚だ不便であるので、裁判上の請求を除権判決（詳しくは公示催告申立の時）にも拡げて解すべきではないかとの議論が出る余地はある（判民昭四年五三事件我妻評釈）。

（ハ）　訴訟において主張される権利関係　　時効の中断は当該権利の行使と認められるような事実であるべきであるから、時効が問題になる権利そのものに関する訴訟が中断事由になることには疑いはない（消費貸借上の債権そのものに基いて支払を請求する、取得時効にかかりそうな物の所有権確認や所有権に基く返還請求をする等）。しかし、個々の権利は多かれ少なかれ広狭さまざまの権利関係の中に包摂されて存在し、また或る権利は種々の附随的権利や権能を伴うことがあるので、如何なる範囲・程度の権利関係が訴訟において主張せられるならば問題になつている権利につき時効中断の効力あるかが争われることがある（ときとしては、或る中断事由によつて生ずべき中断力の物的範囲という形で争われることもある）。問題となつたものを左に掲げる。

まず、係争の権利そのものの行使というのではなく、当該権利を包摂ないし発生せしめるところの基本的法律関係の存在確認訴訟が右権利の消滅時効を中断せしめるかが争われることがある。例えば生命保険において被保険者死亡し保険金請求権を久しく行使しなかつたが、当該保険契約存在確認の訴訟を提起し勝訴してはいた場合、右訴訟は保険金請求権そのものの消滅時効を中断する効果ありとされた。

【10】（前出【2】と同事件）「消滅時効中断ノ原因タルヘキ裁判上ノ請求ハ給付訴訟ノミニ限定セラルモノニ非スシテ確認訴訟ヲモ包含スルモノナリト解スヘク而シテ右確認訴訟モ其ノ基本的法律関係ノ存在確認ヲ目的トスル訴訟ヲ除外シ該基本的法律関係ヨリ発生シタル権利ノ存在確認ヲ目的トスル訴訟ノミニ限定セラルヘキ理由ナク基本的法律関係存在確認ノ訴訟モ亦裁判上ノ請求に包含セラルヘキモノト解スルヲ妥当トス蓋シ斯ル確認訴訟ノ提起ハ基本的法律関係ヨリ発生スル権利ヲ実現スル手段ニ属スルモノナルヲ以テ斯ル手段ニ出テタル場合ニ於テハ仮令其ノ権利自体ニ付給付訴訟ヲ提起セサリシトスルモ毫モ権利ノ上ニ眠レルモノト謂フヲ得サレハナリ」（大判昭五・六・二七民集九・六一九）

右とは逆に、係争の権利に附随する権利の主張、あるいは係争の権利の手続的側面に関する主張が係争の権利そのものにつき時効中断力ありやが問題となる。例えば、真正所有者の知らぬ間に偽造書面により所有権移転登記を得た者に対し真正所有者から右移転登記抹消訴訟を提起して勝訴したことは、右表見的登記名義人の取得時効を中断するとされる。

【11】「原審ハ……本件土地ニ対スル所有権取得登記抹消請求ノ訴ハ……該土地ニ付有スル所有権ヲ基礎トシテ……偽造書面ニ基キ為シタル該土地ノ所有権移転登記ノ抹消ヲ請求スルモノナレハ右ノ請求ハ土地ノ

引渡又ハ所有権確認ノ請求ト均シク右土地ニ対スル取得時効中断ノ効力アルモノト判定セルコト判文上明カニシテ固ヨリ正当ノ見解ナリ」（大判昭一三・五・一一民集一七・九〇一）

しかし、譲渡担保物の引渡を債務者に対して訴求することと、被担保債権の時効中断につき――

【12】「民法上第百四十九条ノ裁判上ノ請求ハ給付ノ訴タルト確定ノ訴タルトハ之ヲ問ハスト雖少クトモ時効ノ進行シツツアル権利ヲ目的トシテ裁判上権利保護ノ要求ノ為サレタル場合ナルコトヲ要スルヤ論ヲ俟タス而シテ時効ノ目的タル権利ヲ確保スル為所謂売渡担保ヲ供シ該物件ヲ更ニ債務者ニ賃貸シタル場合ニ於テ債権ノ弁済ナキノ故ヲ以テ担保物ヲ処分シ之カ弁済ヲ得ンカ為メ債務者ニ対シ該物件ノ引渡ヲ請求スルカ如キハ弁済ノ確保セラレタル権利其ノモノニ付何等裁判上ノ請求ヲ為スモノニ該当セサルヤ明ナリ然レハ……本件債権ニ付テハ未タ裁判上ノ請求ニ因ル時効中断ノ事実ナシ」（大判昭二・九・三〇新聞二七七一・一四）

なるほど、権利aを包含する法律関係Aを主張・行使することが権利aの行使と認められうる（前出【10】）ということ（大は小を兼ねる！）に対し、権利aから派生する附随的権利a′を主張・行使することが権利aの行使と認められるかという問題は、必ずしも同日には断ぜられないかも知れぬ。また、同じく派生的附随的権利a′といっても、実体的所有権とそれに伴うところの登記請求権である場合（前出【11】）と、債権とその担保権である場合（【12】）とでは、多少事情がちがうかも知れぬ（債権は常に担保権を伴うとはかぎらない）。しかし、担保権は債権の存在を前提としてのみ存在する権利であるから、少くとも時効中断に関する限りは、担保権の主張は当然被担保債権の主張と見るべきではなかろうか。学説もこの点につき右【12】に反対するものがすくなくない（我妻・三五二頁、薬師寺一〇六一頁、今泉・新民法総則・五〇七頁等）。これらの点につき、時効中断の効力は判決の既判力に基くという見解によれば、前記いくつかの判例は【10】をも含めて誤である（時効中断にはならぬ）ということになる（例えば【10】に対する山田・判批論叢二五・二・三一五）。しかし、学説の趨勢はむしろ、時効中断の本体を判決の既判力から離して「裁判上の権利実現の手段に出づること」に求める結果として、右のように判例の線よりさらに時効中断の成立を容易に認めようとしているということができよう。

一個の原因事実から生じた権利であっても、その行使が可分のものである場合に、その一部につき訴を提起しても残部については時効中断の効力は生じないというのが裁判の態度である。

【13】　労働中死亡した者の親が使用主の民法七一五条の賠償責任を追求するに当り、親としての慰藉料一千円を請求し、後にいたり申立の拡張をして被害者の相続人としてホフマン式計算による被害者の将来の全財産的損害を請求したが、申立拡張の時には既に本件不法行為責任の時効期間が満了していた事案。

「請求ニ因ル時効ノ中断ハ裁判上ノ請求タルト裁判外ノ請求タルトヲ問ハス請求アリタル範囲ニ於テノミ時効ノ中断ヲ来スモノナルヲ以テ一部ノ請求ニ対スル時効中断ノ効力ヲ生スルコトナシ従テ債権者カ裁判上一部ノ請求ヲ為シタル後其ノ訴ノ申立ヲ拡張シテ残部ノ請求ヲ為シタル場合ニ於テモ其ノ申立拡張ノ時ニ始メテ残部ノ請求ニ対シテ時効中断ノ効力ヲ生スルモノト解セサルヘカラス原判決カ……上告人等ノ申立拡張ニ係ル部分ノ請求ニ付消滅時効ノ完成ヲ理由トシテ之ヲ排斥シタルハ相当」（大判昭四・三・一九民集八・一九九）

これに対しては、請求は一部であっても、訴提起により一応全額につき時効中断し、ただ判決確定により主文に現われた部分についてだけ確定的に中断力が生じ、他については中断力が遡って失効する、また本件のごときはむしろ全体につき権利行使ありと見るべく金額は訴訟進行中に明らかになるとすべきだとして判旨に反対する学説も有力である（判民昭四年度一八事件我妻評釈、柚木三七四頁等）。

最近の高裁判決ではあるが、不法行為に基く損害賠償債権のうち先ず一部だけを訴求し、その後三年以上経過してから（民法七二四条参照）請求を拡張した場合に、債権の一部といつてもどの一部か解らないから拡張部分が時効消滅したとはいえぬとした、つまり形は一部金額の請求でも実質は一個の債権全部が訴訟物であると見るべく始めの訴提起による時効中断力は債権全部について生じているのだとした例がある。

【14】　「控訴人は、本件損害賠償請求訴訟において、被控訴人並びにその前主らは、当初その一部のみを訴求し、その後訴提起の時から三年以上を経過した昭和二十七年十二月九日請求を拡張したのであつて、右拡張部分は時効により消滅した、と主張し、右一部請求並びに請求の拡張の事実は被控訴人らの認めるところであるばかりでなく、記録によりても明らかなところである。しかしながら、このような場合、右拡張部分に対する時効中断は拡張申立の時から効力を生ずるのであつて、債権の一部についての当初の訴提起の効力は常に右拡張部分に及ばないとなすのはいささか早計であつて、ひとしく一部の請求というも、当初からその一部が特定している場合と、たとい分量的には一個の債権の一部というように定額をもつて表示されていたとしてもどの一部であるか毫も特定されていない場合と区別して考うべきである。前の場合には、審判の対象たる訴訟物の範囲もこの部分に局限され、訴訟係属の効果や既判力も他の部分に及ばないのであるから、右一部についての訴訟係属中請求を拡張して他の部分を請求したからといつて、その部分に対する時効中断は申立拡張の時から効力を生ずることはいうまでもないところである。しかし後の場合は一個の債権のどの一部であるかわからないのである。このような場合、たとい相手方が右一部に相当する額の弁済をなしたと主張したからといつて、債権全部が右弁済により消滅していない以上、右弁済は現に訴求している部分に対してなされたということができないのであるから、裁判所は、右弁済の抗弁を採用して原告の請求を棄却することはできないのである。言葉を換えていえば、このような場合はかたちは一部の金額を請求する訴

訟のようであるが、その実一個の債権全部を訴訟物とするものであつて、訴訟係属の効果も判決の既判力もその債権全部について生ずるのである。従つて一定の請求原因に基き一定の金額を訴求した場合にも、最初から当該債権が主張されているのであるから、消滅時効中断の効力も起訴の時は債権全部について生じ、原告が訴訟係属中に請求を拡張して残余部分を訴求したからといつてこの部分が訴訟係属中に時効により消滅するということはありえないのである。控訴人の援用にかかる大審院判決はこの両者を区別していないので適切でないといわなければならぬ。しかして本件において被控訴人並びにその前主らは、当初単にその主張の損害額の一割に相当する金額を訴求したに止まり、家屋焼失による損害とか動産焼失による損害とかいうふうに、毫も区別特定していないのである。しかも当初から全体の損害額を主張し、その一部につき権利を行使する旨明示しているのである。すなわち、本件は後者の場合にあたるものであることが明瞭であるので控訴人主張の拡張部分に対する時効は当初の訴提起により中断せられ、未だ完成しないものとなすのが相当である」（東京高判昭三一・二・二八 民集九・三・一三一）

ともあれ、右【13】の判例理論からすれば、Yの被用者の行為を原因としXがAから株券返還等を訴えられて敗訴し強制執行を受けたので、XはYに対し民法七一五条に基く責任を追求し右株券喪失による損害賠償につき勝訴判決を得ても、先のAX間の訴訟においてXが蒙つた弁護士費用等の損害賠償請求権（Yに対する）についての時効中断力は生じない（大判昭一七・六・二五 新聞四七九一・一〇）のは当然ということになる（この点は前掲我妻説でも認められる）。

（二）訴訟の当事者　時効中断事由たるためには、係争権利についての時効の成否につき相反する利害関係を有する両当事者が原告被告である訴訟であることを要するのが原則である。しかし、直接の当事者を原告または被告としない訴訟でもよい場合があるか。具体的には債権者代位権・債権者取消権に基いてなされる訴訟が問題となる。

判例は、債権者Aが、債務者Bの第三債務者Cに対する債権を代位して、Cを訴えて勝訴した場合この勝訴判決により——Bがその訴訟に参加したと否とにかかわらず——BのCに対する債権の消滅時効は中断されるとなす（大判昭一五・三・一五民集一九・五八六）。一方、債権者取消訴訟により債権者甲が受益者丙を訴えた場合の勝訴判決は、甲の債務者乙に対する債権の時効中断事由にはならないとする（大判昭一七・六・二三民集二一・七一六）。この問題は、債権者代位訴訟・同取消訴訟の本質論や判決の既判力の問題とからんで必ずしも簡単ではないが、判例の結論は大体支持されるであろうか（判民昭一五年三一事件吾妻評釈、判民昭一七年小山評釈、柚木三八二頁等）。なお柚木氏は、前例ではAのBに対する債権の時効も中断されると解すべしとされる（前掲書）。

(2)　時効中断力の失効　裁判上の請求は、訴の却下または取下があつたときは、遡つて時効中断の効果を生じなかつたことになる（民法一四九条）。つまり、裁判上の請求は、それによつて権利主張が有効に遂行せられた場合にかぎり訴提起の時から時効中断力を発揮する。

(イ)　訴の却下　ここに却下とは、訴訟手続違背・管轄違など形式的理由に基く場合は勿論、請求棄却など実質的理由に基いて却けられた場合をも包含するというのが、判例の一貫した態度である（左記【15】のほか、大判明三六・九・八民録九・九五一、大判明三七・七・二一民録一〇・一〇七九、大判大六・二・二七新聞一二五六・二六）。

【15】「民法第百四十九条ニ所謂訴ノ却下トハ訴カ訴訟手続違背又ハ管轄違等ノ為メ却下セラレタル場合ト請求カ根本的ニ棄却セラレタル場合トヲ包含スルモノナルコトハ本院ノ判例トスル所ナリ是レ全ク裁判上ノ請求ニ因リ時効中断ノ効力ヲ生セシメンニハ必スヤ其請求ノ是認セラレ其請求手続ノ遂行セラレタルコト

ヲ要ストスルカ故ノミ請求ノ棄却ハ乃チ請求ノ是認セラレサルモノニシテ其結果ハ訴ノ取下ト毫モ択フ所アルナシ」(大判明四二・四・三〇民録一五・四三九)

(ロ)　訴の取下(民訴法二三六条・二三七条参照)　訴の取下が時効中断力を失効せしめることは、却下におけると同じである。もっとも、調停成立のゆえに訴が取下げられても、ここの失効事由には該らない。

【16】　「金銭債務臨時調停法ニ依ル調停ノ成立シタルトキハ該調停ハ裁判上ノ和解ト同一ノ効力ヲ有スルモノナルヲ以テ訴訟繋属中ノ事件ニ付調停成立シタル場合ハ仮令其ノ手続ヲ異ニスルト云ヘ時効中断ニ付テハ当該訴訟事件ニ付裁判上ノ和解成立シタル場合ト同視スヘキモノト解スルヲ相当トスヘク該調停手続カ当事者孰レノ申立ニヨリ為サレタリトスルモ其ノ結論ヲ異ニスルモノニ非ス蓋シ該訴訟ハ調停成立ノ限度ニ於テ其ノ目的ヲ遂ケ最早ヤ訴訟ハ其ノ進行ノ必要ナク強テ進行スルモ権利保護ノ必要ナシトシテ原告ノ請求ハ却下セラルヘキモノナルカ故ニ単ニ形式上訴訟手続ヲ終了セシムル為訴ヲ提起シタル者ハ其ノ取下ヲ為スヘキハ素ヨリ云フヲ俟タサルトコロナリト雖モ斯ハ結局訴訟ノ目的ヲ遂ケスシテ裁判所ニ対シ判決ナカラムコトヲ求ムル訴ノ取下トハ其ノ本質ヲ異ニスルヲ以テ民法第百四十九条ノ律意ニ徴シ同条ニ所謂訴ノ取下中ニハ前者ノ場合ヲ包含スルモノトハ解スヘカラサレハナリ」(大判昭一八・六・二九民集二二・五五七)(現行民事調停法一六条・二〇条参照)

(ニ)　支払命令の申立(民法一四七条一号・一五〇条参照)

督促手続(民訴法四三〇条以下)に基いて支払命令を申立てることは、権利行使の一種として「請求」の概念に入るべきものであるから、時効中断の効力を有する。もっとも、支払命令は当事者に送達されることを要するから(民訴法四三六条)、支払命令が債務者に到達しないときは、たとい形式的には有効な執行命令の送達があつても、時効中断の効力を生じない(後出【59】)。

しかし、支払命令の申立がなされても、債権者が法定期間内に仮執行の申立をなさないためにその効力を失うときは（民訴法四三九条参照）、時効中断の効力を生じない（民法一五〇条）。また、支払命令の申立が取下げられ（民訴法四三二条等参照）、または却下されたとき（民訴法四三九条）も中断の効力を生じない（民法一四九条参照）。債務者の異議申立により支払命令申立が訴の提起と看做される場合（民訴法四四二条）であって原告の請求が棄却されたときも、同様である（民法一四九条参照）。

㈢　和解の申立

(1)　和解の申立、およびこれに準ずる事項　和解の申立、すなわち和解のためにする呼出（民訴法三五六条三五六条ノ二参照）または任意出頭（民訴法三五四条参照）は、請求の一種として時効中断の効力を生ずる（民法一四七条一号・一五一条参照）。仲裁契約に基く手続を履践することは、和解の申立に準じて、時効中断力を有するものとされる。

【17】　「一定ノ権利関係ヨリ生スヘキ争ニ関スル仲裁契約アルトキハ……仲裁人カ事件ノ審理ニ着手シタルカ如キ場合ハ勿論仲裁判断ニ依リ事件ヲ解決スルカ為メ必要ナル事柄ヲ当事者ニ於テ為シタルトキハ是即権利者ニ於テ其ノ権利ノ行使ヲ怠ラサリシモノナルカ故ニ之ニ依リテモ亦時効中断ノ効力ノ生スルモノト解スルヲ相当トス而シテ当事者ニ於テ仲裁人選定ニ関スル手続ヲ為スカ如キハ右ニ所謂必要事柄ヲ為シタル一例ナリトス而シテ斯クノ如クシテ中断セラレタル時効ハ仲裁手続ノ終了ニ依リ再ヒ其ノ進行ヲ始ムルハ云フヲ俟タサルトコロナリ」（大判大一五・一〇・二七新聞二六八一・七）

近時みとめられる各種の調停制度（民事調停法・家事審判法等）における調停の申立も、時効中断に関しては、和解の申立と同様に取扱うべきものと解釈される。

【18】　「和解ノ申立ハ……消滅時効制度ノ基礎タル権利不行使ノ状態ニ変更ヲ生セシメタルモノトシ既ニ

進行セル時効期間ノ効力ヲ消滅セシムルモノニ外ナラサルヲ以テ和解ノ性質ヲ有スル調停ノ申立モ亦民法第百五十一条ヲ類推シテ時効中断ノ事由タルヘキモノト解スルヲ相当トス蓋債権者ヨリ為ス調停ノ申立ハ干与者其ノ手続等ニ於テ裁判上ノ和解ト多少異ル所アレトモ国家機関タル裁判所ノ干与ノ下ニ債務者トノ間ニ於ケル自己ノ権利ニ関スル争議ヲ調停確定スル点ニ於テハ彼此差異ナキモノニシテ其ノ効力ニ付テモ調停ハ裁判上ノ和解ト全ク同一ナルカ故ニ……」（大判昭一六・一〇・二九民集二〇・一三六七）

(2)　時効中断力の失効　和解の申立も、訴の提起の場合と同様に、相手方不出頭または和解不調の場合には、一ヶ月内に訴を提起しないかぎり、遡って時効中断の効力を生じない（民法一五一条）。催告の場合（後出(2)(五)）と同じく、他の強力な中断事由によって補強されることを条件として和解申立の時における時効中断力をみとめる趣旨である。ゆえに、和解不調の後一ヶ月内になさるべきものとしては、法文にいう訴の提起に限らず、差押・仮差押・仮処分をもふくみ、さらに債務者における承認（左の事件ではこれが問題となる）があれば、和解申立による中断力は保存される（賛成、判民昭四年五三事件我妻評釈、「確認訴訟と時効中断」法協五〇・七・一二三〇、反対、末川・論叢二四・一三三）。

【19】「民法第百五十一条ニ和解ノ為ニスル呼出ハ……トアルハ……トスル法意ナルコト同法第百五十三条ト其ノ執ヲ一ニセルモノト解セサルヘカラス蓋シ若シ之ヲ爾ラストシ単ニ其ノ文辞自体ノミノ趣旨ニ過キスト解セムカ其間或ハ債務者ニ於テ債務ヲ承認シ或ハ債権者ニ於テ差押仮差押又ハ仮処分ノ如キ手段ニ出テタルトキト雖モ未タ以テ足レリトセス常ニ必ス訴ヲ提起スルコトニ依リテノミ始メテ能ク時効中断ノ効力ヲ完フスト謂ハサルヲ得サルニ至ラムナリ豈斯ル理ナラムヤ」（大判昭四・六・二二民集八・五九七）

和解不調の場合に、右の一ヶ月内に強力な中断方法に出でた場合は勿論、同じく不調の場合に双方当事者の申立によって判決手続に発展したときは、和解申立の時に訴提起ありと擬制されるから

（民訴法三五六条三項）、これまた時効中断の効力を持続することとなる。

㈣　破産手続参加（民法一四七条一号・一五二条参照）

(1)　破産手続参加その他これに準ずる事項　まず、請求の一種として時効中断となりうる破産手続参加とは、いわゆる破産債権の届出（破産法二二八条）をいう。そして、破産宣告の申立も時効中断事由である。

【20】「破産ノ申立ヲ為シタル債権者モ他ノ債権者ノ如ク其債権ノ届出ヲ為ササレハ財団ノ配当ニ加ハルヲ得サルコトハ上告人所論ノ如シト雖モ債権者ノ為ス破産宣告ノ申立ハ之ニ因リテ破産者ノ財産ヲ保全シ公平ニ債権ノ弁済ヲ受クル手続ヲ施サシムル為メニ為スモノナレハ一種ノ裁判上ノ請求ニ外ナラサルモノトス依テ原院カ被上告人ノ本件手形上ノ債権ハ明治三十五年九月四日其債務者矢崎和作ニ対シ償還請求ノ通知ヲ為シテヨリ六个月ヲ経過セサル以前即チ明治三十五年十一月十四日和作ニ対シテ破産宣告ノ申立ヲ為シタルヲ以テ時効ノ進行ヲ中断シタルモノト判示シタルハ相当ナリ」（大判明三七・一二・九民録一〇・一五七八）

民事訴訟法による配当要求（民訴法五八九条・五九〇条・六四六条・七〇八条・七〇九条参照）も破産手続参加に準じて時効中断力が認められる（ただし、執行力ある正本によらざる配当要求のみをこれに該当するものとし、執行力ある正本によるものは差押に準ずるとする説があるが—今泉五二〇頁—結論に変りはない）。

【21】「民事訴訟法ノ規定ニ依ル配当要求ナルモノハ債権者カ強制執行手続ニ依リ債権ノ弁済ヲ受クルコトヲ要求スルモノナレハ民法第百四十七条第一号ニ所謂請求ニ該当シ時効中断ノ効力ヲ生スルモノト解スヘキモノトス而シテ右配当要求ナルモノハ其性質上ヨリ考フルニ同法第百五十三条ノ単純ナル催告ト同視スヘキモノニアラス寧ロ同法第百五十二条ノ破産手続参加ト同等ノ効力アルモノト為スヲ相当トス従テ配当要求ニ因リテ中断シタル時効ハ第百五十三条ノ手続ニ依ルコトヲ要セス第百五十七条第一項ノ規定ニ依リ配当手続ノ完了スルマテ更ニ其進行ヲ始ムルモノニアラスト解スルヲ以テ民法ノ精神ニ適合スルモノト認ム」（大判大八

・一二・二民録二五・二二二四）

和議法による和議手続参加が裁判上の請求と同様に時効中断事由たりうることは、和議法附則の明定するところである。

(2)　時効中断力の失効　訴の提起についてのその取下や却下の場合と同じ趣旨から、破産手続参加についても、債権者がこれを取消し（破産債権届出の取下）、またはその請求が却下されたときは（破産法二六一条・二四四条）、はじめから時効中断力を生じなかつたことになる（民法一五二条）。なお、破産宣告そのものの取消は、破産債権届出による時効中断力を遡及的に消滅せしめることはない（東京地判明三六・二・一〇新聞一三五・七、我妻有泉二一五頁、今泉五一四頁）。

(五)　催告（裁判外の請求）

民法一四七条一号にいう請求とは、自己の権利の行使として他人に対して或る義務の履行を請求する一切の行為をいうから、司法機関に対する定型的な行為（前出(二)―(四)）のほか、私的な手続として為されるものをも含むわけで、これを裁判外の請求あるいは催告（民法一五三条参照）と称する。かような、裁判外の何らの形式をも伴わない催告を中断事由とするのは我が民法の特色である。とにかく、この催告について問題となるのは、第一に、そこでは特定の方式が要求せられないため、具体的な如何なる行為が催告と認められるかという点であり、第二に、催告はそれじたいとしての時効中断力は弱いものであり、より強い時効中断事由によつて事後的に裏打ちされて始めて、時効中断事由となる（ゆえに、強力な中断方法を講ずるために時をかせぐ予備的措置たる機能を有する）という点（民法一五三条）である。

(1)　催告と認められる行為

（イ）　ここに催告とは、相手方に対し義務の履行を要求するところの一の意思通知であり、実質的にかくのごときものであれば、方式・方法の如何を問わない。ゆえに、相手方に到達するものであれば書面（例えば内容証明郵便）によると口頭によるとを問わないし、「催告」「請求」「督促」など用語・用字に拘泥すべきものでもない。いわゆる「債権申出」が催告なりとされた事例左のごとし。

【22】「会社ノ清算ノ場合ニ準用スヘキ民法第七十九条ニ依ル清算人の催告ニ応シテ債権者カ為ス所ノ請求ノ申出ハ裁判外ノ請求ニ外ナラサレハ……請求ノ申出ヲ為シタルトキハ其債権ノ時効ハ之ニ因リ中断セラルヘシ」（大判大六・一〇・一三民録二三・一八一五）

催告は何ら特別の方式を必要とはしないものであるから、各種の方式や要件を必要とする裁判上の請求（既述（一）ないし（四））は、当然そのなかに催告たる要素を包含するものである。ゆえに例えば、訴状が相手方に送達された後に訴が形式的理由で却下または取下げられた場合でも、訴提起から却下等までの間は連続して催告が為されていたものと見ることができるから、却下等ののち六ヶ月内に一五三条の定める補強手段を講ずることにより（たとい却下等の時は時効期間満了後であっても）時効を中断しうると解する学説が有力である（我妻三五二頁、我妻有泉二一三頁、山中三三六頁、今泉五一七頁等。なお独民法二一二条二項・二一五条参照）。第一訴却下後に最初の催告からなお六ヶ月内に第二訴を提起すれば問題はないが（後出【29】参照）、第一訴が却下されるまでに最初の催告からの六ヶ月が経過してしまうこともありうるので、右のように考える必要があるわけである。ただし、裁判上の請求の自発的撤回たる訴の取下や破産手続参加の取消などは、同時に裁判外催告の撤回でもあると考えて催告としての時効中断力をも遡つて失わしめると解する説もある（山中三三六頁）。

〔相殺〕　問題となるのは相殺の意思表示である。債権の消滅時効完成のまぎわにいたつて反対債務を負担した債権者が自己の債権の一部とこの債務とで相殺をし（時効完成前）、ついで債権残額につき訴を提起した（時効期間満了後ではあるが、右相殺の時からは六ケ月未満）事件において、判例は相殺に催告（相殺により消滅した対当額を除いた残額についての）たる効果を認めない。

【23】「相殺ノ意思表示ハ相殺適状ニ在ル当事者双方ノ債務ヲ其対当額ニ於テ消滅セシメ弁済ト同一ノ効果ヲ生セシムルモノタルニ止マリ相殺権者カ相手方ニ対シ自己ノ債権ヲ行使シ之ヲ履行セシメントスル意思表示ヲ包含セサルモノナレハ相殺ノ意思表示ヲ為スノミニテハ民法第一四七条第一号ノ請求ニ該当セサルハ勿論之ニ対シテ相手方カ何等ノ異議ヲ述ヘサリシトテ他ノ事実ノ伴ハサル限リ同条第三号ノ承認ニモ該当セサルモノトス」（大判大一〇・二・二民録二七・一六八）

この点、判例に反対し催告たる効果を認むべしとする学説が有力であるし（判民大一〇年事件我妻評釈、鳩山六〇三頁、三潴四九九頁、我妻三五六、七頁、近藤五三八頁、柚木三九五頁、薬師寺一〇七頁、山中三三五頁）後述の質入債権や手形の場合（次の（ロ）など）、その他時効中断事由たるための形式・態様を次第に緩かに解するようになつてきた判例の一般的傾向から見て、現在においても右【23】の立場がなお堅持されるか、かなり疑問である。

（ロ）　催告とか請求とかいうのは時効中断の事由としてのそれであるから、必ずしも、権利を現実かつ窮極的に行使しうるとか、相手方をして遅滞に陥らしめ得るに足るだけの要件や手続のもとで為されることを必要としない（この点、消滅時効の起算点が必ずしも債務者附遅滞の時点と一致しないことと、軌を一にする）。ゆえに、履行の請求に対して相手方が適法な抗弁権（例えば同時履行の抗弁権）を有する場合にも、ここにいう催告はこれをなしうるし、その他、ほとんどもっぱら時効中断の効果のみを有するような催告もありうることになる。

【24】「質権設定者ハ其ノ質入債権ヲ保全スル為ニ該債権ニ対スル時効中断ノ方法ヲ講スヘキ権能ヲ有スルト解スヘキカ故ニ其ノ方法トシテ質入債権ノ債務者ニ対シ其ノ弁済ヲ請求スル旨ノ催告ヲ為ストキハ通常其ノ債務承認ノ請求モ之ニ包含スルモノト解スルヲ以テ社会取引ノ通念ニ適合スルモノトス従テ斯カル請求ヲ包含スル催告ハ直ニ之ヲ無効ト謂フヘキニアラスシテ猶民法第百五十三条ノ催告ノ範囲ニ属スルモノト解スヘク之ヲ前提トスル裁判上ノ債権確認ノ請求ニ依リ時効中断ノ効果ヲ生スルモノト解スルヲ相当トス然ラハ原審カ……所論ノ催告ハ時効中断ノ目的ヲ以テ為ス場合ト雖全然其ノ効力ナキモノト做シタルハ法律ノ解釈ヲ誤レルカ又ハ右催告ノ趣旨ヲ釈明セシメサル点ニ於テ審理不尽ノ違法アルモノトス」(大判昭一二・七・七民集一六・一一二〇)。

【25】「本件代金ハ原告ニ於テ取立ツヘキ約定ナリシカ故ニ時効中断ノ事由タル催告タランニハ其取立行為アルコトヲ要シ書面ニヨル単純ナル催告ノミニテハ未ダ時効中断ノ効力ヲ生スルニ足ラス……ト主張スレトモ民法カ催告ニ付時効中断ノ効力ヲ認メタルハ一ニ催告カ債権者ノ権利行使ノ行為タル点ニ着眼シタルニ依ルモノナレハ仮令債務カ取立債務ナル場合ト雖モ苟モ債権者カ催告ニヨリテ其権利ヲ行使シタル事実アル以上敢テ其取立行為ヲ為ササレハトテ時効中断ノ効力ヲ生スルニ毫モ妨ナキモノト解ス」(東京地判昭三・三・二三評論一八・民一八八)

〔手形債権の場合〕　手形債権の時効中断のためにする催告には手形の呈示を要するか否かが問題となるが、判例は、手形債権につき裁判上請求をなすには手形の呈示を要しないとするが(前出【3】)、裁判外の催告としては手形呈示を伴うことを要するという態度を一貫して固持する(左記【26】のほか、大判明三八・六・六・二八民録一一・一〇四五、大判明三九・六・二八民録一二・一〇四五、大判明四四・四・一一民録一七・一九四、大判昭七・四・二八民集一一・七六一)。

【26】「為替手形ノ所持人カ裁判外ニ於テ前者タル裏書人ニ対シ償還請求ヲ為シタルトキト雖モ若其ノ請求ニシテ手形ノ呈示ヲ伴ハサルモノナルトキハ償還義務者ニ於テ其ノ請求者カ手形ノ所持人ナリヤ否ヤヲ知

ルコトヲ得サルヲ以テ該請求ハ不適法ニシテ時効中断ノ効ナキモノト解スルヲ正当トス」（大判大一三・三・一七民集三・一七三）

この点につき学説は、手形債務を遅滞に附する請求と、時効中断の効力を生ぜしめうる催告とを区別し、後者たるためには手形呈示を伴わぬ請求も権利主張の意思の表現として充分なものだとして、判例に反対するものがむしろ多い（判民昭七年六二事件鈴木、判民昭五年四六事件田中評釈、判民昭七年二一事件石井評釈、鳩山六〇七頁、我妻三五六頁、柚木三九三頁、田中・手形法小切手法概論一九一頁、伊沢・手形法・小切手法一九六頁、鈴木・手形法・小切手法三〇八頁等）。一方、判例も或る程度その態度を緩和しきたつたと見られないこともない。すなわち、昭和二年には、裏書人不在のため手形を呈示して償還の催告をなすことのできない場合でもなお時効中断はないとしたが（大判昭二・三・八民集六・八六）、その数年後には、手形呈示を要するとする原則はこれを堅持しつつも、手形呈示の概念を緩かに解することによつて、いくぶん軟化した態度を示す。

【27】「被上告人ハ本件手形ノ満期日後三箇年以内ナル昭和六年二月十三日引受人タル上告人……ニ対シ本件手形金ノ支払ヲ催告スルト同時ニ右手形ノ支払場所タル自己ノ営業所ニ於テ右上告人ニ其ノ手形ヲ呈示スル為之ヲ所持シ居タルモ引受人ハ遂ニ来会セスト云フニ在リ斯ノ如ク手形債権者ノ営業所カ手形ノ支払場所ナル場合其ノ者カ自己ノ営業所ニ於テ手形ヲ所持シ何時ニテモ引受人ニ呈示シ得ル準備ヲ整ヘ引受人ノ来会ヲ待チタルトキハ仮令其ノ来会ナク之ヲ其ノ面前ニ呈スルコトヲ得サリシ場合ト雖モ尚其ノ場所ニ於テ手形ヲ呈示シタルモノト謂フヲ妨ケサルモノトス蓋来会セサル引受人ニ対シ手形ヲ呈示シタリト為スニハ右以上確実ナル方法存セサレハナリ果シテ然ラハ原審カ……右手形債務ノ消滅時効ヲ中断シタルモノト判定シタルハ相当ナリ」（大判昭七・二・二六民集一一・二一八）

この点、最高裁になつてから大審院時代の判例理論を改めたということも未だないようであるが、最近の下級審判例には、手形債権の時効中断のためにする催告には手形呈示を要しないとなすものもある。

【28】「右請求をなすに当り控訴人は被控訴人に対し本件手形を呈示していないことは前記証拠上明白であるから、右請求は時効中断の効力を生ぜしめる催告とはいわれないとの解釈も成り立ちうるわけであるが、しかし、いやしくも控訴人が前認定の方法による請求によつて本件手形の権利行使の意思を客観的に明確にした以上、たとえその手形を呈示しなくとも、右請求を消滅時効中断の効力を生ぜしめるいわゆる催告と解するのが相当である。」（札幌高判昭三一・七・九高民集九・六・四一七）（同旨、東京地判昭三二・二・二三判例時報一一〇号一九頁）

(2)　強力な中断方法によつて補強される必要

（イ）　催告が時効中断事由として有する特殊性は、催告だけで独立に中断の効力を生ずるのではなくて、「六ヶ月内ニ裁判上ノ請求、和解ノ為メニスル呼出若クハ任意出頭、破産手続参加、差押、仮差押又は仮処分ヲ為」したときに限り時効中断の効力を生ずることである（民法一五三条）。ゆえに、同条所定期間内に同じく所定の強力な中断方法のひとつを採らない限り、催告のみを六ヶ月内の間隔で如何に頻繁に反復してもそのつど時効が中断されることはない（大判大八・六・三〇民録二五・一二〇〇）。一五三条の定める強力な中断方法のそれぞれの意義については別に述べるところに譲るが（前出(一)ないし(四)）、ただ、本条において「裁判上ノ請求」とは、訴の提起をいうと解すべく、ゆえに六ヶ月内に訴状を裁判所へ提出さえすれば（それが相手方へ送達されなくとも）催告による時効中断は成立する（大判明三六・五・五民録九・五三一）。なお、催告の時効中断力の不完全性を補完すべき事実として、一五三条は裁判上の請求と差押・仮差押・仮処分のみを掲げるが、承認（民法一四七条三号）をも加うべしとする学説もある（今泉五一六頁。なお前出【19】参照）。

ひとたび催告がなされれば、強力な中断方法によつて補強されることによつて催告による中断が成立するという可能性は、催告から六ヶ月間は絶対的に存続する。ゆえに、六ヶ月内に提起された第一の訴が却下されても（この訴じたいは中断事由たりえないが―民法一四九条）、同じ始めの催告から六ヶ月内に第二の訴を有効に提起すれば、始めの催告による中断力は保全される。

【29】「催告ハ民法第百五十三条ニ依リ六ケ月内ニ裁判上ノ請求ヲ為スニ於テハ時効中断ノ効力ヲ生スルモノナリ而シテ同第百四十九条ハ裁判上ノ請求カ訴却下ノ場合ニ於テハ時効中断ノ効力ヲ生セサル旨ヲ規定セルニ止マルヲ以テ更ニ裁判上ノ請求ヲ為スコトヲ妨ケサルハ勿論催告ノ後裁判上ノ請求ヲ為シタル場合ニ於テ其訴カ却下セラルルモ為メニ曩キニ為シタル催告ノ効力ヲモ全然滅却セシムルモノニ非ス法定ノ期間内ニ更ニ裁判上ノ請求ヲ為スニ於テハ時効中断ノ効力ヲ生スルモノトス」（大判大五・二・一二民録二二・二九六）

（ロ）一五三条の六ヶ月の期間の起算点は催告の効力発生の時つまり催告が相手方に到達した時である。しかし、運送契約上の損害（積荷の数量不足）賠償請求を裁判外でなした（催告）のに対し相手方が損害の事実の有無を調査中なるがゆえに該調査結果の判明するまで回答の猶予を乞うた事件において（時効起算点は大正九・二・一六、満了点は大正一〇・二・一五、催告は大正一〇・二・一四？　訴提起は大正一〇・九・一五）、大審院は左のようにいつて権利者を保護した。

【30】「消滅時効期間ノ経過前ニ於テ上告人カ被上告人ニ対シ積荷ノ不足ニ付キ裁判外ニ於テ損害賠償ノ請求ヲ為シ被上告人カ損害調査中ノ故ヲ以テ損害ノ有無判明スルニ至ルマテ回答ノ猶予ヲ乞ヒタリトセハ上告人ノ請求即チ催告ノ効力ハ其時マテ存続スルモノト謂フヘク従テ被上告人カ他日回答ヲ為シ債務ヲ承認シタリトセハ即チ時効ノ中断アルヘク債務ヲ承認セサリシトセハ其時ヨリ民法第一五三条ニ定メタル六ケ月ノ期間ノ進行ヲ始ムルモノト解スルヲ相当トス」（大判昭三・六・二八民集七・五一九）（これによつて破毀差戻された結果なされた判決に対して相手方が上告したが、同じ論旨で却けられた――大判昭六・八・七新聞三三一一・一四）

この判決は必ずしも理論的に整然としているわけではないが、その結論を支持する学説はすくなくない（本件に対する判民五一事件小町谷評釈、柚木・判例三九六頁）。理論的には、当該相手方の行動をもつて一四七条の承認と解することは不可能だし、条件附承認と見ることにも無理があろう。小町谷氏は、かかる回答猶予を求められた催告者がこれを承諾した場合には、権利を行使しない債務を負つたのだから一五三条の六ヶ月の期間は回答までの間進行を停止するものと解される（前掲判民評釈）。また、猶予を乞うたまま回答を怠つたりした場合には右六ヶ月の起算点のくり下げ（あるいは六ヶ月の期間停止）は永久に続く（時効は永久に完成しないし、権利の行使も合意により止められている）のかということも、右判決の弱点であるが、同じく小町谷氏は相当の期間に限るべしとされ、相当の期間とは具体的事情に応じて一様ではないが、それと六ヶ月（一五三条の）とを合算したものが当該の場合の時効期間（本件では一年）を超えない範囲内のものであるべきことを提案される。傾聴すべき見解ではあるが、時効制度の本質如何の根本問題ともからんでの難しい問題である。ただ少くとも、時効に関する他の規定や、それらに関する判例理論を見るとき、そこにはかなり形式的厳格さが流れているように思われるので、本件判決がそれらと必ずしも一貫しないものをもつていることは否定できないであろう。

やや似た事件として、時効期間満了点が昭和五年五月一〇日の権利につき、五月三日に配達証明郵便で催告をなし、該催告は翌五月四日に配達されたが、郵便局から催告者へ交付した配達証明書には「東京小岩5・5・5 0—3」の郵便局印が押捺されていたので（この数字は右証明書作成が五日だという意味で、問題の郵便を配達した日が何日であるかは記入が怠られていた）催告者（権利者）は五月五日配達（催告発効）と信じ、それから起算して（正確には翌六日から起算して）六ヶ月の最後の日たる十一月五日に訴を提起した。真実の配達日（四日）を基準とすれば六ヶ月経過後であり催告は中断力を失い時効完成、権利者の信頼を保護して五日配達と擬制すれば催告は中断力ありということになるが、大審院は左のようにして時効完成を認めなかった。

【31】「郵便信書ノ配達証明ト云フコトハ……信書配達ノ日時ヲ知ラシメ以テ其行動ノ精確ナル基準ヲ得シムルニ在ル……カ故ニ此証明ハ其性質上一ノ公信力ヲ有スルモノニシテ一般人殊ニ信書差出人ニ於テ重キ信頼ヲ之ニ置クハ固ヨリ其処ナラスンハアラス然ルニモ拘ラス一旦此証明カ事実ニ符合セサルニ至リテ此証明……ニ依拠シテ為サレタルアラユル措置ハ尽ク画餅ニ帰シ了ルトセムカ配達証明ナル一個公証ノ制度ハ偶々以テ人ヲ欺キ他ヲ陥ルノ具タルニ至ル……左レハ配達証明テフコトカ一面ニ配達ノ日時ト云フ客観的事実ヲ左右スル力無キハ論ヲ俟タサルト共ニ一面少クトモ当該信書差出人ニ於テ重大ナル過失無クシテ此証明ニ信頼シ善意ニテ為シタル措置ニ対シテハ恰モ証明カ客観的事実ニ符合スル場合ト同様ノ待遇ヲ与フヘキモノト解スルハ……配達証明ナル制度ヲ設ケタル精神ニ諧フモノト云ハサル可カラス……時効ノ完成ト否トヲ判断スルニ当リテモ亦姑ク身ヲ権利者ノ側ニ置キ専ラ其ノ地ニ立チテ観察商量スルヲ以テ最緊要ノ義ト為スハ多言ヲ俟タス……原審ノ確定スルトコロニ依レハ昭和五年五月三日附催告書ハ其ノ翌四日被上告人ニ配達セラレシモ配達証明書ニハ同月五日附ノ郵便局印カ押捺セラレアリシヲ以テ上告人ハ同日ノ配達ニ係ルト信シ此信念ニ基キ六ケ月ノ後ナル同年十一月五日本訴ヲ提起シタルモ実ハ法定期間ヲ後ルルコト已に一日ナリシト云フニ在リ然ラハ則チ本件トシテハ先ツ上告人ニ於テ右ノ如ク信シタルコトハ証明書ノ様式其ノ他当時ニ於ケル諸般ノ事情上之ヲ一般人ノ標準ニ照シ重大ナル過失ト目ス可キヤ否ヤヲ審案シ次ニ此信念ノ下ニ当該日時ニ本訴ヲ提起シタルコトハ是亦斯カル場合ニ於ケル一般人ノ措置トシテ果シテ権利ノ行使ヲ怠レルモノト目ス可キヤ否ヤヲ審案シ最後ニ凡ソ重大ナル過失無クシテ配達証明ニ信頼シタル信書差出人ニ対シテ与フ可キ待遇如何ト云フ問題ヲ講究スルニ非サレハ本件事案ハ未タ以テ判決ヲ為スニ熟セリト云フ可カラス第一審以来如上諸点ニ付キ審理不尽ノ嫌ヲ免レサルニ於テ本件上告ハ其理由アリ」（大判昭八・四・一四民集一二・六一六）

しかし、右判決のごとく権利者の過失の有無など主観的容態によつて時効の成否を左右せしめんとする態度は疑問だといわなくてはなるまい（判決に反対し時効成立を認むべしとする学説としては、本判決に対する判民四九事件穂積評釈、判決と同旨、柚木三九六頁）。要するに、【30】【31】ともに、時効の公益的制度たる面をやや軽視する嫌いなしとはしないようである。

二　差押・仮差押・仮処分

差押・仮差押・仮処分は、権利の現実的実行行為という意味で、時効中断事由となる（民法一四七条二項）。

㈠　差押・仮差押・仮処分およびこれらに準ずる事項

(1)　差押（民訴法四九七条・五五九条・五六四条以下・五九四条・六四〇条・六四四条・七〇六条・七一七条参照）は最も典型的かつ強力な権利実行行為として中断事由となる。ゆえに、例えば金銭債権について強制執行をすれば、それが動産に対する執行なると、不動産に対する執行であるとまた債権に対する執行であるとを問わず、右金銭債権につき時効中断力を生ずること勿論である（大判大七・五・三一新聞一四二五・二〇）。もつとも、差押は、権利者自らのなす権利実行行為であつて、本来義務者に対する意思表示の方法ではないから、請求と全く同一視せられるわけではない（連帯債務者の一人に対する差押は、他の連帯債務者に対する請求とはならない）（大判大三・一〇・一九民録二〇・七七七）。

競売法による競売は、いわゆる差押ではないが、権利実行の手段として行われる競売手続である点において、差押と同様に時効中断事由たりうると解せられる。

【32】「抵当権者カ利息其他……ニ於テ其抵当権ヲ行ヒ得ヘキ範囲ハ他ノ債権者ニ対スル関係ニ於テハ民法第三百七十四条ノ規定ニ依リ満期ト為リタル最後ノ二年分ニ付テノミ制限セラルヘシト雖モ抵当権設定者ニ対スル関係ニ於テハ斯クノ如キ制限ヲ受クヘキモノニアラス……故ニ抵当権者ハ元本並ニ利息其他ノ定

期金及ヒ損害金ノ満期ト為リタル……全額ニ付キ競売ノ申立ヲ為スコトヲ得ヘク而シテ該申立ニ基キ競売開始決定アリタルトキハ右元本並ニ利息其他ノ定期金及ヒ損害金ノ全部ニ付時効中断ノ効力ヲ生スルモノト解スルヲ相当トス」（大判大九・六・二九民録二六・九四九）（同趣旨、大判昭八・四・二〇新聞三五五四・一二）

仮差押が中断事由たることは法文上明白であり、仮処分についても同様で、例えば詐害行為取消権並所有権移転登記抹消請求権の執行保全のためになした仮処分は詐害行為取消権の時効を中断する。

【33】「民法第四百二十四条ノ取消権ハ債権者ヲシテ正当ナル弁済ヲ受ケシムル為債務者ノ詐害行為ヲ取消シ其資産ヲ詐害以前ノ状態ニ復帰セシムルコトヲ目的トスルモノナレハ同条ノ取消権ハ啻ニ詐害行為ノ効力ヲ喪ハシムルニ止マラス更ニ取消債権者ヲシテ総債権者ノ為受益者又ハ転得者ノ受ケタル利益若クハ財産ノ返還ヲ請求スルコトヲ得セシムルモノト謂ハサルヘカラス……然ラハ返還請求ノ目的物ニ付現状ノ変更ヲ生ジ判決ノ執行ヲ不能若ハ困難ナラシムル虞アル場合ニ於テ其ノ保全ノ為仮処分ヲ為スコトハ詐害行為取消権ノ行使ヲ無益ニ終ラシメサル為必要ナル手段ニシテ民法第百四十七条第二号ニヨリ右取消権ノ時効中断ノ事由タルモノト解スヘキモノトス」（大判大一四・一一・二八民集四・一一九）

(2)　差押等が時効中断事由たりうるのは、それらが、時効が問題となる権利そのものの行使として当該権利の権利者によりその義務者に対して為された場合に限る。それ以外の者の間においてなされた差押等の手続は、特別の規定（民法一五五条など）なきかぎりは、原則として中断の効力を生じない。判例は、甲が、乙の丙に対して有する債権を差押えても、乙の丙に対する債権についての時効を中断することはないとする（大判大一〇・一一・二六民録二七・二〇九）。しかし、この事件は、右差押をした甲が丙に支払（甲への）を求めたのに対し、乙の丙に対する債権についての時効完成という丙の抗弁を容認して甲の請求を却けた事案であり、反対説の出る余地がある（判民大一〇年五事件我妻評釈、薬師寺一〇八四頁、今泉五二五頁）。また、より一般的に、債権者代位権に基いて第三債務者に対して訴を提起して勝訴した場合には債務者の第三債務者に対する債権につき中断を生ずるとなす判例理論（前出一(二)(1)(三)）と矛盾するとして反対する学説もある（柚木三九九頁）。

なお、ここにいう差押等が時効中断力を生ずるためには、それら手続が実施されることを必要とする。ゆえに、差押にあっては執行吏が執行に着手することを要し（大判明四二・四・三〇民録一五・四三九）（ただし、時効中断力の発生時期の問題は必ずしもこの着手時期と一致ない。後出二・二・(二)(1)）、債権の仮差押にあっては、差押命令が債務者に送達されることが必要であり、第三債務者（差し押えられる債権の債務者）に送達されることまでは必要でない（大判昭二・一二・二三新聞二八〇九・一三）。

(三)　時効中断力の失効

差押・仮差押・仮処分は、それが権利者の請求により又は法律の規定に従わないために取消されたときは、時効中断の効力を生じないとされる（民法一五四条）。差押の取消によって差押行為が完結しない場合には中断力を認めない趣旨である。

(1)　ここに取消とは、民訴法六五〇条三項・五五〇条・五五一条に定めるそれをいうが、競売中立の取下についても同様と解せられる。

【34】　「競売ノ申立ニ因リ競売開始決定アリ差押ノ効力ヲ生シタル後ニ於テ競売申立ノ取下アルトキハ差押ノ効力又消滅ニ帰スヘク之ヲ民法第百五十四条ニ所謂差押ノ取消サレタルトキト同視スルハ毫モ違法ニアラス」（大判昭一七・六・二三民集二一・七一六）

同じく判例は、強制執行を申請した債権者が執行機関からの配当金の通知あるもこれを受領せず却って配当金を放棄すべき旨を届出て執行正本の返還を受けた場合は、時効中断の効力を生じないとし、その理由を左のようにいう。

【35】「差押ト云ヒ競売ト云ヒ或ハ処分禁止ノ効力ヲ生シ或ハ所有権移転ノ効力ヲ生シソレソレ独立ナル効果ヲ現スノ点ハ即チコレ有リト雖之ヲ債権者ノ側ヨリ観レハ差押金銭若クハ売得金ヲ執行機関ヨリ受領シ以テ債権ノ弁済ヲ得ルニ依リテ始メテ能ク執行ノ意味ヲ成シ得タリト云ハサル可ラサルカ故ニ今若シ債権者ニシテ任意ニ其ノ受領ヲ拒絶シテ執行手続上の効果（例ヘハ競売ニ因ル所有権ノ移転）ハ消滅スヘクモ無ク又他ノ差押債権者モ何等ノ累ヲ被ルトコロ無キハ論ヲ俟タサルト共ニ（民事訴訟法第五百八十七条第六百二十条第六百四十九条参照）之ヲ当該債権者ノ立場ヨリ観ルトキハ従来ノ執行行為ハ挙ケテ無意味ニ帰シ恰モ執行ノ申請ヲ取下ケタルト一般此ノ債権者トシテハ始ヨリ何等ノ執行モ之ヲ試ミサリシト選フトロコ無キニ至リタリト云ハサルヲ得ス然ラハ則チ夫ノ執行ニ因ル時効中断ノ効力ノ如キモ亦遡及消滅スヘキハ殆ント必然ノ結果ニシテ這ハ民法第百五十四条ノ法意ニ鑑ルモ亦其ノ爾ルヲ知ルニ於テ遺憾無カラムナリ」（大判昭六・一二・三民集一〇・一一五九）

しかし、この判例理論に対しては、執行機関が配当額を決定してその受領を催告すれば差押行為はもはや完結したというべきであるから債権者が受領を拒絶しても時効中断力にはもはや影響はないとする反対説が出る余地がある（判民昭六年一二三事件我妻評釈、我妻三五八頁、柚木四〇三頁）。

(2)　以上と逆に、民法一五四条に該当しないとされる例を挙げよう。まず、執行を免れるために債務者が担保を供し又は供託をしたために当該執行が取消された場合（民訴法五五〇条第三・七四七条・七五四条一項・七五九条等参照）には、時効中断力は影響を受けない（将来に向つて効力を失うだけである）（我妻有泉二一七頁今泉五二三頁等）。

差押・仮差押・仮処分の命令が実施されれば、差押うべき物が無いために執行不能になっても、時効中断の効力は生ずる。

【36】「執達吏カ債権ノ委任ヲ受ケ債務者ノ住所ニ臨ミ差押ニ着手シタルモ差押フヘキ物ナカリシタメ執行不能ニ終リタルトキハ現ニ差押手続ハ之ヲ実施シタルモノナレハ之カ為ニ強制執行ノ目的ヲ達スルコト能ハサリシトスルモ之ニ依リ時効中断ノ効力ヲ生スルモノト解スルヲ相当トス」（大判大一五・三・二五民集五・二一四）

同様に、債権者の委任を受けた執達吏が債務者方にいたり差押に着手したが、債権者が該債務はすでに第三債務者に対する債権の差押および転付命令によってこれを弁済したと同一の効力を生じた旨（民訴法六〇一条）を申出で、かつ当該命令正本を提出したため（ただし、右の債権の差押と転付命令とは実は無効であった）、執達吏が既に着手せる執行手続を停止するにいたった（事実はむしろ、右の状況のために、執行に着手しなかったらしい）ときでも（民訴五五〇条）、時効中断の効力は発生する（大判昭一六・九・一九民集二〇・一一六四）。

しかし、時効中断事由たるためには、とにかく差押手続等に着手したことは必要と考えられるから、債務者の住所不明のために執行をなしえない場合は時効中断の効力は生じないと解される。

【37】（前出【15】と同事件のいまひとつの争点）「民法第百四十七条ノ規定セル差押カ時効中断ノ効力ヲ生スルニハ執行ニ着手シ其手続ヲ遂行スルコトヲ要スルモノナルニ拘ラス上告人ノ提出セル乙第二号証ハ原判決ノ認ムル如ク被上告会社及ヒ其清算人ノ住所不明ナリシ為メ執行ヲ為スコトハ能ハサリシノ旨記載アリテ題シテ有体動産差押中止調書ト云フモ全然差押手続ニ着手セサリシコト明確ナリ然ラハ即チ前示民法ノ規定ニ照シ時効ノ効力ヲ生スヘキモノニアラサルナリ」（大判明四二・四・三〇民録一五・四三九）

三　承　認（民法一四七条三号）

㈠　承認の意義・性質

ここに承認とは、時効の利益を受くべき当事者が時効によつて権利を喪失すべき者に対し、その権利が存在することを認識している旨を表示することをいう。かような表示があれば、権利の存在が明瞭になるだけでなく、権利者がこれを信頼して権利の行使を差控えても権利行使を怠つているということにはならないから、これを中断事由とするのである。また、承認は、権利者の為す請求等に応じて義務者側が示す反応として為される場合が実際上は多いが、それじたいは義務者側の一方的行為であつて権利者側の権利行使行為あることを必要とするものではない。

【38】　「消滅時効ハ権利不行使ノ状態ヲ要件トスルモノニシテ民法所定ノ中断事由ハ皆其状態ト相容レサルモノナリト雖権利ノ行使ナクンハ権利不行使ノ状態ナキモノトスルヲ得ス中断事由中請求差押仮差押又ハ仮処分ハ之ヲ権利ノ行使ナリト謂フヲ妨ケサルモ承認ハ権利存在ノ事実ヲ認識スル相手方ノ一方的行為ニ過キス権利者ノ何等行為ヲ要件トスルモノニアラサルヲ以テ権利ノ行使ニアラサルハ勿論権利行使ノ結果ニモアラス唯承認アルトキハ権利者ハ権利ノ行使ヲ怠レルモノト言ヒ難キヲ以テ承認ハ権利不行使ノ状態ト相容レサル事実ナリト謂フヲ得ヘキノミ然レハ債務者カ債務ノ存在ヲ承認スルコトハ債権者カ債権ヲ行使スルコトナクシテ存シ得ヘキ事実ナルヲ以テ債権ノ行使ナクンハ債務ノ承認ナキカ如キ前提ノ下ニ原判決ヲ非難スル論旨第一、二点ハ何レモ理由ナシ」（大判大三・一二・一〇民録二〇・一〇六七）

承認の法律的性質に関しては、不用意に「法律行為」ないし「意思表示」という文字を用いる判例もあるが（後出【43】・【45】など参照――いずれも、性質論じたいが本筋の争点になつた事例ではない）、正確には法律行為ないし意思表示ではなくて観念通知の一種であることは、判例・学説の一致するところである。ゆえに、権利の存在を認識している旨の表示さえあれば、時効を中断しようとする効果意思あることは必要ではない。

【39】「而シテ民法第百四十七条第三号ニ所謂時効中断ノ効力ヲ生スル承認トハ時効ノ利益ヲ受クヘキ当事者ノ一方カ其相手方ノ権利ノ存在ヲ認識セル旨ノ観念通知ニシテ法律行為ニアラサレハ承認ニハ効果意思ヲ必要トセサルコト勿論ナルヲ以テ本論旨ハ理由ナシ」（大判大八・四・一民録二五・六四三）

なお、ここに承認とは時効完成前においてなされるものをいうから、時効完成後になされるいわゆる「債務の承認」・「延期証の差入れ」などについては、時効の利益の放棄（民法一四六条）となるか否かだけが問題となるのであって、ここにいう承認としては問題となる余地がない（大判大一〇・二・一七民録二七・三二一等参照）。

㈡　承認者

(1)　承認をなす者は、時効によって利益を受くべき者（問題の権利の相手方たる義務者等）であることはいうまでもない。なお、承認は法律行為ではないが、性質の許すかぎり法律行為ないし意思表示に関する規定が準用されるから、本人のみならず代理人（法定代理人・任意代理人とも）も承認をなしうる（大判大八・四・一民録二五・六四三）。特殊な事例としては、債権者が債務者の委任を受けて、債務者の木材を売却し代金を自己の債権の一部弁済（後出㈣(2)参照）に充てた事実は債務者の承認になるとされた。

【40】「債務ノ弁済ハ債務ノ承認ヲ表白スルモノナレハ債務者カ債権者ヲ代理人トシテ債務ノ一部弁済ヲ為シタルトキハ債権者ヲ代理人トシテ債務ノ承認ヲ為シタルモノト謂フ可クシテ代理人カ代理行為ノ相手方ト為リタルモノナレトモ此場合ニ於テハ代理人タル債権者カ代理行為タル債務承認ノ相手方ト為ルヘキハ行為ノ性質上当然ニシテ代理権ノ授与ハ当然代理人カ代理行為ノ相手方ト為ルコトノ許諾ヲ包含スルモノナレハ代理人タル債権者ノ為シタル債務ノ承認ハ有権代理行為トシテ時効中断ノ効力ヲ生ス」（大判大八・一二・二六民録二五・二四二九）

ゆえに、本人またはその代理人以外の者、例えば保証人が債務の承認をしても、主債務者（たとい保証人の長男でこれと同一家族であつても）が承認したことにはならない。

【41】「保証人カ保証債務ノ履行トシテ利息並ニ元金ノ一部ヲ支払ヒタリトスルモ之ヲ以テ主タル債務者カ其ノ債務ノ承認ヲ為シタルモノト為スヲ得サルハ勿論ニシテ此ノ理ハ主タル債務者カ保証人ト同一家ノ家族タル場合ニ於テモ異ナルトコロナキニ依リ右ト反対ノ見解ニ立脚シテ原判決ヲ非難スル論旨前段ハ採用スルコトヲ得ス」（大判昭一三・七・八判決全集五・一六・一五）

(2)　承認をなすについての能力に関しては、時効が問題となる権利につき（当該権利を自己――承認者――が有すると仮定した場合に）処分の能力または権限を有することは必要でないとされる（民法一五六条）。承認によって時効中断という不利益を受けるのは承認者の効果意思に基くものではないからである。ゆえに、準禁治産者が保佐人の同意なしに為した承認（大判大七・一〇・九民録二四・一八八六、大判大一三・三・二五新聞二二五一・一七）、後見人が後見監督人（旧法では親族会）の同意（民法八六四条――旧九二九条――参照）なくして被後見人に代つてなす承認（大判大八・五・一二民録二五・八五一）、旧法下で親権者たる母が親族会の同意（旧民法八八六条）なしに子に代つてなす承認（大判大八・四・一一民録二五・六四三）、いずれも有効に時効中断の効力を生ずる。

民法一五六条の反対解釈として、承認をなしうるためには管理の能力または権限は必要だということになる。ゆえに、禁治産者がなした承認は常に取消しうべきものであるし、未成年者が法定代理人の同意なしに為した承認は原則として取消しうべきものである。

【42】「債務承認カ有効ナルタメニハ承認者カ相手方ノ権利ニ付管理ノ能力アルヲ要スルコト民法第百五十六条ニ照シ疑ナキトコロ未成年者ハ意思能力ヲ有スル場合ニ於テモ自己ノ財産ニ関シ単独ニテ完全ナル効力アル行為ヲナスコト能ハサルヲ原則トシ従ツテ其ノ有スル金銭債権ノ管理ニ関スル行為ト雖モ法定代理人

ニ依リテナシ若クハ其ノ同意ヲ得テ自ラナシタル場合ノ外之ヲ取消シ得ルヲ原則トス」（大判昭一三・二・四民集一七・八七）

㈢　承認の相手方

(1)　時効中断事由たる承認といいうるためには、相手方の権利の存在を内心において認識するにとどまらず、その認識を外部へ表示することが必要であるが（大判昭一七・九・一〇法学一二・三一五）、さらにその表示が相手方（時効の中断により利益を受くべき権利者）に向けて為されることを要するというのが判例の立場である。すなわち、銀行がその備付けの帳簿に利息を記入して元本に組入れた旨を記入しても、これを預金者に通知しなければ、承認とはならぬとされる。

【43】　「債権ニ付キ時効中断ノ効力ヲ生スヘキ承認又ハ既ニ完成シタル時効ノ拋棄ハ何レモ債務者ヨリ債権者ニ対シテ為ス意思表示ナルコト毫モ疑ヲ容レス従テ本件ノ如キ銀行預金ノ債権ニ付テモ債務者タル銀行カ如上ノ承認又ハ拋棄ヲ為シタルモノトスルニハ其承認又ハ拋棄ノ意思ヲ債権者タル預金者ニ対シテ表示シタル事実アルコトヲ要シ単ニ銀行者カ其銀行内ノ帳簿ニ預金ノ利子ヲ組入レタル旨ヲ記入シタルノ一事ハ未タ以テ預金者ニ対シ承認又ハ拋棄ノ意思ヲ明示若クハ黙示シタルモノト為スニ足ラス」（大判大五・一〇・一三民録二二・一八八六）

このような判例理論は、破産銀行の債務報告書に破産管財人が或る具体的債権者の氏名と債権者を記載すること（東京控判大一四・一二・一九評論一五商法九二）、業務監督法令に基いて銀行が大蔵大臣に送付する報告書に債務を記載し、また当該債務を含む貸借対照表を公示すること（東京地判昭七・六・九新聞三四二三・五）、いずれも承認にあらずという判例を導くことになる。この点、承認が有する時効中断力の根拠を権利者の権利行使懈怠状態の解除（あるいは承認をもつて、権利者の権利行使のごとく擬制するといってもよかろうか）に求めるという立場からは当然判例理論が支持されるであろうが（多数説ないし通説ともいうべきか）、承認の中断力の根拠の中心を義務者の権利存在の自白（という証拠）という点において把える立場に立てば、およそ表示行為さえあれば権利者に対して為されたものであることを要しないという立場になるし(薬師寺一〇八五頁、一〇八八頁)、原則的には権利者に対する表示行為でなければならぬという立場に立ちつつも、銀行の経理に関する帳簿等のごとく公的監査も充分に受け多分に客観的かつ大量取引的な性格をもつものについては、個別的な通知を要せずして承認とみなすべしとする反対説も有力である(判民昭一〇年一二事件我妻評釈、我妻三五九頁、於保二九八頁、勝本三二八頁等)。

(2)　判例のごとく承認は権利者に対する表示行為たることを要するという立場に立てば、かような表示を受けるいわば受領資格といった問題が生ずる。権利者本人でなくとも、承認という観念通知を代って受けることのできる権限ある者に対して為した承認は、有効な中断力を生ずる。この点、承認の本質は観念通知であるとはいえ、法律行為の代理に関する規定(民法九九条二項等)が準用されうる。ゆえに、債権者の貸金請求をなす権限を与えられた代理人は、債務者からの債務承認を受ける権限をも有すると見られるから、権利者の代理人に対して為された承認は(その通知が実際に本人にまで到達したと否とを問うことなしに)直ちに時効中断力を生ずる(大判大一〇・二・一四民録二七・二八五)。

【44】　「大正七年三月頃石塚一郎カ債権者石塚四郎ノ代理人ト為リテ上告人ニ対シ債権取立ノ督促ヲ為シタルニ上告人ハ石塚一郎ニ対シ債務ノ存在ヲ認メテ支払ノ猶予ヲ求メタル事実ヲ認定スルコトヲ得而シテ債務ノ存在ヲ認ムルハ即チ債務ノ承認ニシテ正当ノ意義ニ於ケル法律行為ナリト謂フヲ得サルヘシト雖モ性質ノ許ス限リ法律行為ニ関スル規定ヲ之ニ準用スヘク従テ民法第九十九条第二項ノ規定モ債権者ノ代理人ニ対スル債務ノ承認ニ準用スヘキモノト解スルヲ相当トス然レハ則チ上告人カ債権者ノ代理人石塚一郎ニ対シテ為シタル債務ノ承認ハ債権者本人ニ到達スルコトヲ要セスシテ直ニ時効中断ノ効力ヲ生スルモノト謂フヘ

シ」（大判大一〇・三・四民録二七・四〇七）

したがって、権利者本人は勿論その代理人ないし機関とも認められない者に対し、あるいはそれ以外の第三者やその代理人に対して問題の権利の承認をしても、時効中断事由とはならない（大判昭一三・四・三〇判決全集四・二一・一三、大判昭一四・五・一二新聞四四四四・一四）。

㈣　承認の方法・態様

承認は、問題の権利の存在の事実を認めるという実質を備えるものであればよいのであって、一定の方式なく、明示たると黙示たると、裁判上たると裁判外たるとを問わない。

(1)　支払猶予の懇請など　権利者からの請求に対して義務履行につき猶予を求める行為は一般に承認となる。例えば、貸金支払請求に対して猶予を請うこと（大判昭二・一・三一評論一六民法四一五）、請求に対して来客のため忙しいから後にしてくれということ（大判昭四・五・二〇、裁判例（三）民八六）、債権者から請求された連帯債務者が、まず他の連帯債務者の財産に対して強制執行をするよう懇請したこと（大判昭一〇・一一・一九裁判例（九）民二八四）、手形債務者が手形所持人に対し手形書換をなすべきことを承諾した事実あること（ただし手形書換そのものは行われず）（大判昭一三・三・五判決全集五・六・三四）などいずれも承認となるとされる。

承認といいうるためには、権利の内容・範囲等の詳細な点までを確認しなくとも、当該権利存在の事実を認めるものであれば充分だとされる（左の例は、会社清算人が知れたる債権者にその請求の申出を催告した場合）。

【45】「民法第百四十七条第三号ノ承認ハ時効ノ利益ヲ受クヘキ者カ相手方ノ権利ヲ認ムル一方的意思表示ニシテ之ニ因リテ時効中断ノ効力ヲ生スルニハ其ノ権利ノ原因内容範囲等一切ノ事実ヲ確認スルコトヲ必

要トセスシテ唯明示又ハ黙示ニテ其権利存在ノ事実ヲ認ムレハ足ルモノトス……而シテ商法第二百三十四条及ヒ民法第七十九条第三項ノ規定ニ従ヒ会社ノ清算人カ知レタル債権者ニ其請求ノ申出ヲ催告スルハ其債権者ニ対シ会社ノ負担スル債務アルコトヲ認識シテ為スモノニシテ其債務存在ノ事実ヲ認ムルニ出ツル意思表示ナレハ之ヲ以テ其債務ノ原因数額等一切ノ事実ヲ承認スルモノト為スコトヲ得スト雖モ時効中断ノ効力ヲ生スヘキ承認アルモノト為スハ当然ナリ」（大判大四・四・三〇民録二一・六二五）

しかし、同一の債権者・債務者間に数個の債権関係が存在し、債務者が単に決算のため猶予を求めいずれの債務を承認したか不明なときは、必ずしも当然には全債務につき承認があつたものとは見られないとする判例がある。

【46】「同一ノ債権者・債務者間ニ数個ノ債務関係存在セル場合ニ於テ債務者ガ債権者ニ対シ単ニ決算ノ為メ猶予ヲ求メ其孰レノ債務ヲ承認シタルヤ不明ナルトキハ債権者カ総テノ債務ニ付キ請求シ債務者ニ於テ之ヲ承認シタルモノト為ス実験法則アルナク其孰レノ債務ヲ請求シ債務者カ承認シタルヤハ之ヲ主張スル債権者ニ於テ立証ノ責ニ任スヘキハ当然ナルヲ以テ原審カ係争債権ノ時効完成ニ先チ被上告人佐平ヨリ上告人ニ対シ決算ノ為メ猶予ヲ求メタル事実ヲ認メタルモ係争債権以外他ニ取引債権アリテ係争債権ニ付キ承認ヲ為シタルモノト認メサルハ相当ナリ」（大判大七・一一・二民録二四・二一一七）

(2)　債務の一部弁済は承認（残部についての）となるし（前出【40】）、利息を支払うことは元本債権についての暗黙の承認となる場合が多い（大判大一一・四・一四民集一・一八七、大判昭三・三・二四新聞二八七三・一三）。また、同一当事者間に同種の給付を内容とする数個の債権ある場合に全債務を完済するに足りない額の弁済をなしたときは、当該数個の債務全部を承認したものと見られることが多いであろう。

【47】「同一当事者間ニ数個ノ消費貸借上ノ元本債務存在スル場合ニ債務者カ単ニ元本債務ノ弁済トシテ全債務ヲ完済スルニ足ラサル額ノ弁済ヲ為シタル事実アルトキハ特別ナル事情ノ見ルヘキモノナキ限リ債務者ハ其数個ノ債務ノ存在ヲ承認シ弁済ノ提供ノ為シタルモノト認定シ得ラレサルニアラサルヲ以テ原審ニ何等所論ノ如キ違法ノ点ナシ」（大判昭一三・六・二五判決全集五・一四・四）

しかし、一個の生活関係から生ずべき債務であっても、それが可分のものであり、社会通念上独立の数個の債務と見られるものにおいては、そのうち一個につき弁済があっても他のものについての承認とはならない。

【48】（京都府歯科医師会々費に関して）「被上告人カ昭和九年四五月分ノ会費ヲ支払ヒタリトスルモ之カ為其ノ余ノ同年度ノ会費ノ支払義務アルコトヲモ承認シタルモノト認定セサルヘカラサルモノニ非ス蓋シ原審ノ確定シタル所ニ依レハ昭和九年度ノ会費ハ其ノ定メラレタル月ニ分割シテ徴収スルモノニシテ所謂可分債務ニ外ナラス一ヶ年度分ヲ包括シテ之ヲ一個ノ債務ト做スヲ得サレハ従テ原判決ニ所論ノ違法ナ」し（大判昭一六・二・二八評論三〇民法八四）

右に見た一部弁済または利息の弁済が残額ないし元本債務の承認とみられることと関連して、将来において債務者の支配外で自動的に一部弁済となるような措置を予め一括して講じておいた場合、将来右のような事態が発生したたびごとに当該包括的債務全体（具体的には残額など）につきその都度承認による時効中断ありとされた左のごとき例がある。

【49】債権の担保として債務者所有の株式につき質権を設定し、かつ債務者（被上告人）が弁済を怠ったときは債権者（上告人）は該株式の配当金を受取りまたは株式を処分して弁済に充当しうることを約して株券と白紙委任状を債権者へ渡したが、債務者が弁済を怠ったので債権者は右約条にもとずき右委任状を用い

て会社から約六年にわたり十一回配当金を受取り利息に充当した場合、この毎回の充当が債務（残りの元本・利息債務）の承認となるかが争われたが、「原判決ハ……右配当金ハ上告人カ直接ニ訴外……会社ヨリ支払ヲ受ケタルモノニシテ被上告人カ同会社ヨリ受取リテ上告人ニ支払ヒタルモノニ非サルノ故ヲ以テ被上告人ハ右ノ支払ニ依リテ債務ノ承認ヲ為シタルニ非スト判定シタリ然レトモ時効中断ノ為ニスル債務ノ承認ハ明示若ハ黙示ニ依リテ之ヲ為スコトヲ得ヘキモノニシテ被上告人カ上告人ニ対シ白紙委任状ヲ添附シテ株券ヲ交付シ予メ一括シテ各配当期ニ於ケル配当金受領ノ代理権ヲ与ヘ上告人ノ受取リタル金員ヲ以テ被上告人ノ債務ノ弁済ニ充当スルコトヲ承諾シ上告人ヲシテ之ヲ受領セシメタル以上ハ反証ナキ限リ被上告人ハ毎期ニ会社ヨリ配当金ノ支払アルヘキコトヲ認識シナカラ之ヲ弁済ニ充当スルノ意思ヲ継続シテ有シタルモノト推知スルコトヲ得ヘキヲ以テ上告人カ其ノ配当金ヲ会社ヨリ受領シタル都度暗黙ニ其ノ債務ヲ承認シタルモノト謂ハサルヲ得ス然ルニ原裁判所カ此等ノ事実を審査セスシテ被上告人ニ於テ一旦該配当金ヲ受取リタル上之ヲ上告人ニ交付セサリシノ故ヲ以テ輙ク債務ノ承認ナキモノト判断シ被上告人ノ時効ノ抗弁ヲ認容シタルハ審理不尽ノ不法アルモノトス」（大判昭七・一〇・三一民集一一・二〇六四）

【50】　金銭の貸主（上告人）が借主（被上告人）にその所有地に永小作権を設定（貸主のために）させ、貸金の利息は請求せずに小作料をもつてこれにあてることを契約し、納期に貸主が借主に対して右相殺計算の通知をしたが借主が黙過していた場合、借主側における債務承認になるかが争われた。「小作料利息共ニ……将来発生スルコトヲ条件トシ発生シタル時ニ於テ現実発生シタル額ニ従ヒテ相殺スル趣旨ナリ……当事者ノ約旨ヲ右ノ如ク解スルニ於テ初メテ上告人カ其主張ノ如キ計算通知等ヲ為シタル事実ハ其意義ヲ有スルニ至ルヘク……利息ト小作料トカ其発生ニ従ヒ相殺セラルルモノトセハ被上告人カ約定小作料ヲ請求セスシテ之ヲ利息ト相殺シ居リタルハ即特別ノ事情ナキ限リ同時ニ元本債権ヲ承認シ居リタルモノト認ムヘキカ故ニ之ニヨリ時効ハ中断セラルルモノト云フヘク……上告理由アリ」（大判昭一七・七・三一民集二一・八二四）

予め将来の或る時期における承認をしておくという構成は、一般的には容認され難いとおもわれる。しかし、右二例におけるごとく各一部弁済期ないし配当期に債権者は事実上弁済に充当して権利を行使している場合にもなお中断を生じないとすることは不当であるから等の理由で判例を支持する学説もあるが（【50】に対する民商法一七・三・三〇二長野判批、柚木四〇八頁等）、毎期ごとの現実の承認を要するとして反対する学説もある（【49】に対する判民昭七年一六二事件吾妻評釈。ただし【50】に対する判民昭一七年四二事件吾妻評釈は、充当のあるかぎり係争債権の弁済期到来せずとの理論で賛成する）。

(3)　方式に関して　時効中断事由たる承認には何ら方式は要求されていない。ゆえに例えば、手形上の債務の場合には、債権者側からの催告として中断力を生ずるためには手形呈示を要するとなす判例も（前出【26】【27】等）、債務者側における承認たるためには、手形呈示を受けて為す等のことは必要でなく、現実に手形債権者として権利を行使しうる者に対しその権利存在を自覚する旨を通知するに足る行為で充分であるとする。

【51】　「時効中断ノ効力ヲ生スヘキ承認ハ手形上ノ債務者カ其債務ヲ承認スル場合ニ於テモ手形法上何等形式手続等ヲ要スル行為ニ非スシテ唯現実手形債権者トシテ其権利ヲ行使スルコトヲ得ルモノニ対シ其権利存在ノ事実自覚ノ意思表示ヲ為スヲ以テ足ルモノナレハ其承認ヲ為スニ付テ特ニ手形ノ呈示アルコトヲ必要トセス苟モ債権者カ債務者ノ承認ヲ受クル当時既ニ其債務者ニ対シ現実行使スルコトヲ得ル手形債権ヲ有スルニ於テハ其承認ハ手形呈示ノ有無ニ拘ラス時効中断ノ効力ヲ生スルモノトス」（大判大四・九・一四民録二一・一四五七）（同旨、大判昭三・三・二四新聞二八七三・一三、大判昭七・六・一一新聞三四四七・一三）

(4)　相手方の権利行使のみある場合など　承認は実際上は催告その他権利者側の権利行使行為に対する反応としてなされる場合が多いけれども、承認じたいはあくまで義務者側の自発的・積極的

（明示的であれ黙示的であれ）行為であり、権利者側の主張等に対して異議を述べないなど、何ら反応を示さないだけでは当然には承認ということはできない。ゆえに、利息についての執行に対して債務者が異議を述べないからとて元本債務の承認にはならない。

【52】　（前出【5】と同事件）「上告人カ本件貸金債務ノ弁済期以後大正二年十二月迄ノ利息ニ付強制執行ヲ為シ其ノ配当ヲ受ケタルニ対シ被上告人カ異議ヲ述ヘサリシコトハ之ヲ利息債務ヲ承認シテ任意ニ其ノ弁済ヲ為シタルト同視スヘキニ非サレハ此ノ場合ト同様ニ元本債務ノ存在ヲ暗黙ニ承認シタルモノト見ルヲ得サル」ものである（大判大一一・四・一四民集一・一八七）（もっとも、利息の強制執行は債権の行使として元本のためにも時効中断力を生ずると考える余地は或いはあるかも知れない――前出一一(1)参照。判民大一一年三〇事件我妻評釈）

相殺の意思表示に対して異議を述べないことも同様である。

【53】　「相殺ノ意思表示ハ相殺適状ニ在ル当事者双方ノ債務ヲ其対当額ニ於テ消滅セシメ弁済ト同一ノ効果ヲ生セシムルモノナルニ止マリ相殺権者カ相手方ニ対シ自己ノ債権ヲ行使シ之ヲ履行セシメントスル意思表示ヲ包含セサルモノナレハ相殺ノ意思表示ヲ為スノミニテハ民法第百四十七条第一号ノ請求ニ該当セサルハ勿論之ニ対シテ相手方カ何等ノ異議ヲ述ヘサリシトテ他ノ事実ノ伴ハサル限リ同条第三号ノ承認ニモ該当セサルモノトス」（大判大一〇・二・二民録二七・一六八）

相殺はむしろ、相殺者側における催告（相殺対当額を控除した残額についての）たりうるやが問題とせらるべきであろう（前出【23】の箇所を参照）。なお、相殺といっても、問題の債権の債務者の方から反対債権をもって相殺した場合は、問題の債務につき自発的一部弁済があったと見られるから、問題の債務の残額につき承認と見られることはある（前述(2)(3)の問題）。

なお、係争債権のため一番抵当権設定登記のある場合、債務者が同一不動産につき他の債権者のために二番抵当権設定登記をなす行為は、係争債権（一番抵当権附の）についての承認にはならないとされる（これには観念通知の相手方が係争権利の権利者でないという問題［前出(三)］もある）。

【54】　「時効中断ノ事由タル債務ノ承認ハ債務者ニ於テ相手方タル債権者ノ債権ノ存在ヲ認識スルヲ謂フモノニシテ而テ其認識ノ方法ハ裁判上タルト裁判外タル将又明示タルト黙示タルトハ固ヨリ問フ所ニ非スト雖モ相手方タル債権者ニ対シテ之ヲ為スコトヲ要スルハ承認ノ性質上正ニ然ラサルヲ得サル所ナリトス而テ係争債権ニ対シ一番抵当権ノ設定登記アリタル場合ニ債務者カ同一物件ニ付キ更ニ他ノ債権者ニ対シ二番抵当権ヲ設定シ之カ登記ヲ為スノ行為ハ其行為自体ニ依リ直ニ債権者ニ対シ係争債権ヲ承認シタルモノト謂フコト能ハス何トナレハ登記簿上係争ノ債権ニ対シ一番抵当権ノ設定アル物件ニ付キ更ニ他ノ債権者ニ抵当権ヲ設定セントセハ債務者カ係争債権ヲ承認スルト否トニ拘ラス苟モ登記簿上一番抵当権ノ存在スル以上ハ二番抵当ノ形式ヲ以テ之カ登記ヲ為ササル可カラサルハ当然ニシテ二番抵当権ノ設定登記ヲ為シタルノ一事ヲ以テ直ニ係争債権ヲ承認シタルモノト謂フコト能ハサレハナリ」（大判大六・一〇・二九民録二三・一六二〇）

四　自然中断事由

取得時効は一定期間の占有（または準占有・以下同じ）の継続を要件とするから、占有者が任意に占有を中止し、または占有を奪われたときは（ただし民法二〇三条但書）、取得時効は中断するとされるが（民法一六四条・一六五条）、これに関する判例は少い。

山林につき取得時効を主張する占有者に対し、真実所有者（？）側において数次の譲渡があり移転登記ならびに引渡ありたることを認めうる場合には、右占有者のために進行しつつある取得時効についてはその都度自然中断があつたものと認めたものがある（大判昭五・一〇・三新聞三一九五・七）。たしかに、山林のごときにおいては占有は多分に観念的なものである場合が多いけれど（故に、より強く直接的な占有者がなければ登記名義即占有と見るべき場合もあろう）、登記名義人以外の者がより強い占有をなしている場合に、これに対する自然中断たるためには、その占有を何らかの形で排除するような積極的な（本件では所有者側の譲渡に伴う「引渡」の態様如何が問題である）事態が必要ではなかろうか（普通の占有取得よりは（むしろ本件は、不動産取得時効の要件として登記を無視した占有だけで足るとする民法の建前に対する立法論的反省を促す一例というべきである）。

なお取得時効を援用する占有者に対し、真実所有者が該土地につき公租公課を負担したり滞納による差押を解除するための手続をとつたりした事実だけでは、いまだ自然中断にはならぬとされた例がある（大判昭一四・一・三一判決全集六・八・二二）。また、取得時効に必要な占有とは自主占有にのみ限らるべき理由はないから、甲が所有者として占有する土地につき乙のために地上権を設定し、乙をして直接に占有させるにいたつても、これにより甲のために進行しつつある取得時効が自然中断にかかることはない（大判大一〇・一一・三民録二七・一八七五）。

二　時効中断の効果

時効期間満了前に中断事由のひとつに該当する事実があれば、それまでに進行しきたつた期間は無効と帰する、つまり問題の権利の取得または消滅という効果は生じない。そして、かような状態は、当該中断事由が存続するかぎりは継続し、当該中断事由が消滅すればその時から再び新たに（中断前に経過した分の継続ではなく）時効期間が進行を開始する。これが時効中断の効果である。

もつとも、右のような完全な中断力が生じるためには各種中断事由ごとに一定の要件を備えることを要することは、すでに中断事由の各項で見てきたとおりである。すなわち、第一に、無条件に中断力を生じるものとしては承認があるが、第二に、一応中断力が生じても、当該中断事由たる手続の進展の結果として欠格ないし否定的終局に立ちいたれば、中断力は始めに遡つて消滅するものが多く（民法一四九条―一五二条・一五四条）、第三に、当該中断事由だけでは確定的な中断力は生ぜず、より強力な中断事由へ移行する（ないしはこれによつて補強される）ことを条件に中断力を生ずる（あるいは、強力な中断事由によつて補強されなければ、中断力は遡つて消滅するといつてもよかろう）場合もある（民法一五三条・一五一条）。

二　時効中断の効果

一　時効中断の効力の及ぶ人的範囲・物的範囲

(1)　時効中断の効力は相対的であつて、当事者（中断行為に関与した者―例えば承認においては承認をなした者とその相手方）およびその承継人（包括承継と特定承継人）の間においてのみその効力を有し（民法一四八条）、その他の第三者についてはその利益にも不利益にも中断の効力は及ばない。

数人の共有に属する物が他人によつて占有せられている場合、この他人のために進行している取得時効に対しては、各共有者は少くとも自己の持分に関するかぎり有効に中断（例えば裁判上の請求による）をなしうる。

【55】「各共有者ハ随意ニ其持分ヲ処分スルコトヲ得ルヲ以テ各自其持分ニ付キ裁判上ノ主張ヲ為シ因テ以テ自己ノ持分ニ関スル時効ノ中断ヲ為スコトヲ得ヘシ故ニ所論ノ如ク『共有物カ数十百人ノ所有者ニ属シ第三者ノ取得時効ノ完成ニ因リ将ニ共有権ノ消滅セントスルニ際シ共有者一二名ノ反対ノ為メ若ハ訴訟委任

ヲ為スコト能ハサル（旅行等ニテ）場合ニ其時効ヲ中断スルハ占有者ノ承認以外ニ於テ適法ナル中断方法ナシ』ト云フコトヲ得サルモノトス」（大判大八・五・三一民録二五・九四六）

逆に例えば、甲所有土地を乙丙二人で共同で占有してその取得時効が進行しているとき、甲が乙に対してだけ中断行為をした場合には、乙に関しては取得時効は中断されるが、丙のためには依然時効は進行し続け完成することもありうる（丙は目的物の二分の一の持分を時効取得することになる）。

その他、時効中断の相対的効力については中断事由の各項において触れているところを参照されたい。

⑵　時効中断の及ぶ人的範囲に関する相対的効力という原則に対しては、特殊の法律関係については多くの例外が認められていることに注意すべきである。まず、民法総則篇の時効に関する箇所においては差押・仮差押・仮処分に関する一五五条が想起せられるし、その他、地役権に関する民法二八四条二項、連帯債務者の一人に対する請求に関する民法四三四条、保証人に関する民法四五七条などである。

⑶　時効中断力の及ぶ物的範囲の問題は、如何なる行為ないし事実があれば或る権利関係についての時効中断事由といいうるかという形で既に随所に述べたから、改めては説かない。

二　時効中断の効力の発生・継続・消滅

時効中断事由があれば従来既に進行しきたった時効期間は無効に帰し、かくして発生した中断力は中断事由の種類に応じて一定期間継続して存在し（この間は新な時効は進行しない）、そしてこの中断事由が終了したと見られる時から改めて新な時効が進行を開始する（民法一五七条）。ゆえに、或る中断事由につき中断力発生（開始）の時点が何時かということは、従来進行しきたった時効の完成を有効に阻止しえたか否かにつき重要な関係を有するし、同じく中断力の消滅（中断事由の終了）の時点が何時かということは、新な時効の起算点の問題として、その後の時の経過による時効の完成の有無を左右する関係にある。以下中断事由の種類ごとに順次に観察することにする。

㈠　請　求

(1)　裁判上の請求

（イ）　裁判上の請求による中断力発生時期は、訴提起（訴状の提出、または口頭の陳述）の時であり、訴状が相手方へ送達された時ではないというのが判例であったし（大判大四・四・一民録二一・四四九）、現行民訴法上は明文をもってそのように規定されている（民訴法二三五条・二四〇条）。裁判上の請求が訴訟参加・訴の変更・請求の拡張という形でなされた場合の時効中断力発生時期についても、明文をもって規定されている（民訴法七三条・二三五条）。もっとも、請求の拡張による中断力がそれら特別の手続を執った時から生ずるというのは、原請求の内容たる権利関係とは同一性（少くとも時効中断に関しての同一性）のない場合のことであって、時効中断に関するかぎりでは原訴提起の客体と同一性があり最初の起訴の時から既に中断力ありと認められる場合があることは既に述べたところである（前出Ⅰ・二(一)(1)(ハ)参照）。

なお、相手方の提起した債権不存在等の消極的確認訴訟または請求異議訴訟において権利の存在を主張し勝訴すること（前出【6】【7】等参照）による時効中断力の発生時期は、訴訟中において自己の権利の存在を主張した時である（後出【56】）。

（ロ）　裁判上の請求（訴の提起）によつて生じた時効中断力は、裁判確定の時まで存続し、この時をもつて消滅し、新しく時効が進行を開始する（民法一五七条二項）。この原則は、債権不存在確認訴訟の被告たる債権者が債権の存在を主張して勝訴した場合についても、その適用に変りはない。

【56】「而シテ右中断ノ効力ハ被告カ訴訟ニ於テ右債権ノ存在ヲ主張シタル時ヨリ生スルコト所論ノ如シト雖モ右消滅時効カ中断シタル後被告勝訴ノ判決カ確定ニ至ルマテ時効中断ノ効力ハ継続セラレ判決確定ノ時ヨリ時効ハ更ニ進行ヲ始ムルモノトスヘキモノトス蓋シ右ノ場合訴訟上ニ於ケル債権存在ノ主張ハ訴訟繋属中継続スルモノニシテ該主張ハ裁判上ノ権利行使ニ外ナラサルヲ以テ該主張ヲ認容シタル判決ノ確定ノ時ヨリ更ニ時効ノ進行スヘキハ民法第百五十七条第二項ノ趣旨ニ徴シ明カナレハナリ」（大判昭一六・二・二四民集二〇・一〇六）

ただし、上告審でなされた差戻判決の確定は未だ時効の進行を再び開始せしめないこと、時効制度の性質上当然のことである（宮城控判明四一・四・二二最近判二・一二六）。

なお、中断が確定判決またはこれと同一の効力ある事由によつて起つたときは、中断後の新しい消滅時効期間は、係争権利本来の消滅時効期間の如何にかかわりなく、十年となる（民法一七四条ノ二）。また、勝訴判決を得ても、その確定の時からさらに新に時効が進行を始めるがゆえに、この新しい時効を中断せんがためには、さらに重ねて訴を提起することも認められる場合がある。

【57】「給付訴訟ニ於テ原告勝訴ノ判決確定シタルトキト雖モ事実上強制執行ヲ為シ得サル場合ナキニ非ス斯ル場合ニ債権者ニ於テ其ノ請求権ノ時効ニ因リ消滅スルコトヲ防止セントスルニハ之カ時効中断ノ挙ニ出ツルノ外ナク而モ其ノ時効中断ノ方法ニ種々アルトスルモ裁判上ノ請求（破産ノ申立ヲ包含スル）ニ依ル

ニ非サレハ到底其ノ目的ヲ達シ得サル場合ナキニ非ス斯ル場合ニ於テ給付ノ判決確定後ニ於ケル時効中断ノ為ニスル再訴ハ権利保護ヲ裁判所ニ要求スル利益アルモノト謂ハサルヘカラス」(大判昭六・一一・二四民集一〇・一〇九六)

(2)　支払命令　支払命令による時効中断力の発生時期は、相手方への送達がなされることを条件として、申請の時であるとされている。

【58】「債権者カ支払命令ノ申請ヲ為シタルトキハ権利ノ行使ヲ為シタルモノト謂フヘク従テ該申請ニ基キ支払命令ノ送達アリタルトキハ時効中断ノ効力ハ其送達ノ日ニ生スルモノニアラスシテ申請ノ日ニ遡リテ生スルモノト解スルヲ相当トス」(大判大四・五・二〇民録二一・七五〇)(同旨、大判大二・三・二〇民録一九・一三七)

【59】「支払命令ノ申請ハ……其申請ノ時ニ遡リテ出訴期限中断ノ効力ヲ生ス……而シテ民法第百五十条ニ支払命令ハ権利拘束カ其効力ヲ失フトキハ時効中断ノ効力ヲ生セストアレハ時効中断ノ効力ヲ生センニハ権利拘束ノ存在ヲ要件トス……而シテ其権利拘束ヲ生スルニハ支払命令ノ債務者ニ送達セラルルコトヲ要ス……本件所争ノ支払命令ハ作市ノ住所ニアラサル場所ニ送達セラレ遂ニ適法ノ送達ナカリシモノナルコト明カナレハ権利拘束ノ効力ヲ発生セサリシコトモ亦明カナルヲ以テ随テ時効中断ノ効力ヲ生セサリシコト一点ノ疑ヒナキ所」である(大判明四〇・四・一一民録一三・四二三)

支払命令においても、時効中断力は当該手続進行中は存続する。すなわち、支払命令に対し異議申立なき場合には仮執行の宣言を附すべく(民訴法四三八条)、さらにこれに対しても異議なき場合には確定判決と同一の効力を生じ(民訴法四四〇条・四四三条)、ここで中断力は終了する(民法一五七条二項参照)。仮執行宣言前または後に債務者の異議申立があれば、支払命令手続は訴訟手続に移行し、支払命令申請の時に発生した時効中断力はそのまま訴訟手続へと継続し爾後訴訟の運命により消滅するまで存続する。なお、債権者が仮執行の申立をなしうる時から三十日内にその申立をしなければ支払命令はその効力を失うから(民訴法四三九条)、この場合は時効中断力は始めに遡って消滅する（民法一五〇条）。

(3)　和解の申立　この場合の中断力発生時期も、和解申立の時である。

また、これらにより生じた時効中断力の消滅時期は、和解手続終了の時である（和解に準ずる仲裁手続に関する大判大一五・一〇・二七新聞二六八一・七）。ただし、一応生じた中断力も遡って消滅する場合があること（民法一五一条）については既に述べた（一・(三)(2)）。

(4)　破産手続参加　破産手続参加による時効中断力は、当該手続に従って債権届出（あるいは破産宣告申立など）をなした時に発生し、破産手続が終結決定（破産法二八二条）・強制和議認可決定の確定（破産法三二一条）・破産手続廃止決定（破産法三五五条）または破産宣告の取消（破産法一五六条）によって終了した時まで存続する（この時から時効は新に進行を開始す）。ただし、異議に基く破産債権確定の訴訟が破産手続終了後にもなお繋属する場合は、時効中断力はその判決確定まで継続する（近藤・民法大綱（総則）五六二頁）。破産手続参加に準ずべき民事訴訟法上の配当要求による中断の場合も同様で、中断力は配当手続の完了の時まで存続する（大判大八・一二・二民録二五・二二二四＝前出【21】）。

(5)　催告　時効中断力の発生時期は――より強力な中断事由によって補強されこれに転移することを条件にして（民法一五三条）――催告の時、正確には、催告の通知が相手方に到達した時である（東京控判明四三・一一・八新聞六三二・二二）。

かように、催告はそれ自体だけでは中断力を有しないから、その中断力の存続（つまり消滅時期）は、催告が転移したところの、より強力な中断事由の種類とその運命によって決定されることは論をまたない。

ただし、催告を補強すべく提起された訴が形式的理由で却下等の運命をたどった場合（それじたいとしては中断力は遡って失効するが）、その却下等までの間は催告として有すべき時効中断の前提たる効力は継続する（あるいは却下までの間は新しい催告が無数になされている）と考える（ゆえに却下の後六ケ月内に補強すれば中断力を生ずる）余地があることは既に述べた（一・二・㈤・(1)・(イ)）

㈢　差押・仮差押・仮処分

(1)　時効中断力の発生時期　これらの中断事由による中断力発生時期については問題がある。まず、中断力を生ずるためには差押等の手続がなされることを必要とすること論をまたないから、判例が、差押が時効中断力を生ずるためには執行に着手しその手続を遂行することを要し、債務者の住所不明のため執行をなしえないときは中断力を生じないとしたこと（前出【37】）は正しい。この判例は中断事由たる差押等といいうるための要件に関するものであり中断力の発生時期に関するものではないのであるが、その後、右判例を援用して、差押による中断力発生時期は執行着手の時であるとなす判例が現われた。

【60】（執行機関に執行を委任したのは時効期間満了前であるが、右機関が執行に着手したのは満了後である場合）「民法第百四十七条ノ規定ニ依リ差押カ時効中断ノ効力ヲ生スルニハ執行ニ着手シ其ノ手続ヲ遂行スルヲ要スルコトハ本院判例ノ示ス所ナリ（明治四十二年(オ)第百号同年四月三十日判決参照）該判例ノ趣旨ニ依レハ差押ハ執行ニ着手シタルトキニ非サレハ時効中断ノ効力ヲ生セサルモノト解スヘク且斯クノ如クニ解スルヲ相当トスルコトハ差押ニ因ル時効ノ中断ニ付特ニ民法第百五十五条ノ規定アルニ徴シテモ知ルヘシ故ニ時効ノ期間経過前ニ執行機関カ債権者ヨリ差押ノ為執行ノ委任ヲ受ケタルノミニシテ未タ執行ニ着手セサル場合ニ於テハ仮令時効ノ期間経過後ニ着手シ其ノ手続ヲ遂行シタルトキト雖時効ノ中断ナキモノト謂

ハサルヘカラス」（大判大一三・五・二〇 民集三・二〇三）

ところがその後、抵当権実行のためにする競売に関する事件において大審院は、債権者が競売申立書を管轄裁判所に提出した時が時効中断力発生時期であるとする。

【61】「不動産ニ対スル差押カ時効中断ノ効力ヲ生スル為ニハ該差押カ効力ヲ生スルヲ要スルハ論ナキトコロナルモ其ノ時効中断ノ効力ハ債権者カ競売申立書ヲ管轄裁判所ニ提出シタル時ヲ以テ発生スルモノト解スルヲ相当トス蓋シ債権者カ執行裁判所ニ不動産競売ノ申立ヲ為シタルトキハ爾後競売手続ハ裁判所ニ依リ職権ヲ以テ進行セシメラルルモノナレハ債権者カ競売申立ヲ為シタル時ハ即チ債権者ニ於テ其ノ権利ノ行使ニ着手シタル時ナリト解スルヲ相当トスルノミナラス時効中断原因タル不動産差押ニ於ケル競売申立ノ時期ハ同シク時効中断ノ原因タル訴ニ於ケル訴状提出ノ時期ト比較シ時効中断ノ効力発生ノ時期トシテ彼此差別ヲ設クヘキ何等ノ理由存セサレハナリ尤モ差押ハ競売開始決定カ債務者ニ送達セラレタルトキ又ハ競売申立ノ登記アリタル時ヲ以テ其ノ効力ヲ生スルモノト為ス判例存スルモ（昭和二年(ク)第一四四号同年四月二日当院決定参照）這ハ差押ヲ以テ第三者ニ対抗シ得ルニ至ル時期ヲ決定シタルモノニ外ナラスシテ素ヨリ時効中断ノ時期ヲ決定シタルモノニアラサルカ故ニ何等前記ノ解釈ヲ為スノ妨トナルモノニアラス而シテ如上ノ説明ハ抵当権実行ノ為ニスル競売ニ付テモ其ノ理ヲ異ニセ」ず（大決昭一三・六・二七 民集一七・一三二四）

この判例は連合部判決でないために先の【60】を変更したという趣旨は現われていない。そして、かように相矛盾するかに見える大審院の態度は、執行を申立てられる機関が執行吏である場合と裁判所である場合とで区別するドイツ民法の建前（二〇九条二項五号）に倣うものではないかとも推測されるが（我妻三五八頁、柚木四〇一頁等参照）、訴・支払命令等につき判例が示す態度との間に一貫しないものがあることは否定しえないところであり、近時の学説は、差押・仮差押・仮処分ともに申請の時が時効中断力発生時期であるとして判例の態度を批判するものが極めて有力である（舟橋判民大一三年三二事件評釈、中村・民商九・一・一二一、近藤五四二頁、我妻三五八頁、柚木四〇一頁、薬師寺一〇八〇頁、今泉五二〇頁等）（判例賛成のもの、判民昭一三年八二事件有泉評釈等）。

(2)　時効中断力の消滅時期　中断力が何時まで存続するか（民法一五七条参照）については、余り問題はない。例えば、金銭債権に対する強制執行として差押えた債権につき転付命令が発せられたときは左のようになる。

【62】「差押ニ因ル時効ノ中断ハ差押ヲ以テ為シタル強制執行ノ終了スル迄継続シ其終了シタル時ヲ以テ民法第百五十七条ニ所謂中断ノ事由ノ終了シタル時ト為ス而シテ強制執行ハ之ニ依リテ債権者カ債権ノ弁済ヲ得タル時ニ於テ終了スルモノニシテ金銭債権ニ対スル強制執行ハ差押タル債権ニ付キ転付命令ノ発セラレタル場合ニハ債権ノ存スル限リハ民事訴訟法第五百九十八条第二項ノ手続カ為サレタル時ニ終了ス何トナレハ右ノ手続ヲ為スニ因リ債権者ハ債権ノ弁済ヲ為シタルモノト看做サルレハナリ」（大判大六・一・一六民録二三・一）

差押と同一視さるべき競売手続（抵当権実行など）による中断の場合においては、債権者（抵当権者等）が競落代金を受取った時である（大判大一〇・六・四民録二七・一〇六二、大判昭一八・三・一六新聞四八三六・一二）。

(3)　仮差押や仮処分によって生じた時効中断力は、これら手続により保全された権利についての本案訴訟等による中断へと移行・継続することは勿論であるが（大判明三七・一二・一六民録一〇・一六三二）、仮差押の後に本執行をなしうる債務名義が生じても——右仮差押が存続するかぎりは——仮差押によって生じた中断力が持続し、本案上の債務名義確定の時から新に時効が進行する（民法一五七条二項）ことはないというのが判例である。

【63】「仮差押ハ権利実行ノ一方法トシテ請求以外ニ時効中断ノ事由タルモノナレハ仮差押ヲ為シタル債

権者カ一面債務者ニ対シ督促手続ニ依リ請求ヲ為シ其ノ結果債務者ニ執行命令正本ノ送達アリ該執行命令確定シテ本執行ヲ為シ得ヘキ債務名義ヲ生スルニ至リシトキト雖既ニ為シタル仮差押ニシテ存続スル限リ該仮差押ニ因ル時効中断ハ依然トシテ存続スルモノニシテ所論ノ如ク右ノ債務名義ヲ生シタル一事ニ因リ当然仮差押ニ因ル中断ノ終了ヲ来タシ新ニ時効ノ進行ヲ始ムルモノト解スヘキニ非ス」（大判昭三・七・二一民集七・五六九）

これに対しては、民訴法上の仮差押じたいの効力の持続の問題と、民法の定める時効中断事由としての中断力の持続の問題とを区別し、仮差押の暫定的・予備的性格のゆえに時効中断力に関するかぎりは本案上の執行名義に吸収せられ、民法一五七条二項の規定に従って中断力は終了する（新に時効進行を開始する）という批判もあるが（判民昭三年五五事件宮崎評釈）、一方また、仮差押が放置されていることは、あたかも本案上の執行名義が確定し即時に差押をなした後に執行の終結にいたらずに放置してある場合と選ぶところなしと考えれば、判例の態度を是とすべきかも知れぬ。

㈢　承　認

承認は相手方に対する表示を要すると解する以上、それによる時効中断力発生時期は——意思表示の一般原則を準用して——承認の通知が相手方に到達した時と解すべきであろう。そして、承認は何らの方式をも必要とせず、国家機関の関与による継続的手続としてなされるものでもなく、それ自体として完全な時効中断力を瞬時にして発揮してしまうものであるから、承認なる中断事由は発生と同時に終了する、つまり中断力発生時期は同時にその消滅時期でもある（勿論精密にいえば、新しい時効の起算点は翌日からであるが—民法一四〇条）。

時効の援用・利益の放棄

遠藤　浩

はしがき

時効の制度に関する学説は区々にわかれているとともに、それぞれの学説にすぐれた労作が多い。判例もまた緻密な論理を展開している。私ごとき者がそれに加える何物もないといってよい。そこで、この論文では、判例を体系づけるとともに、学説を整理し、それぞれの学説から判例に対してなされている批判を引用してゆくという方法を中心として書いた。

時効の制度は極めて重要な制度である。この時効の制度は国によつて主義を異にしている。そのことは自ら時効の制度が複雑な問題を蔵していることを物語つている。そういうことの結果、我が国に於ても、時効の制度について学説が区々に分れている。学説がこれ程区々に分れているのも珍らしい。その原因は、直接には、民法が一方においては、取得時効の効果として所有権を取得する（民一六二・一六三）とか、消滅時効の効果として債権又は財産権は消滅する（民一六七）と規定しながら、他方においては、時効の援用（民一四五）及び時効利益の放棄（民一四六）という規定を設けているという矛盾したような形をとつているところにある。この矛盾した関係を、どのような時効の根拠に立つて調和させながら一元的に説明するかということで学説が分れる。

判例もこの矛盾を調和させようとしながら緻密な理論を展開してきた。しかし、必ずしも厳密には首尾一貫しているとはいい難い。これは学説の影響によるものであろう。

ところで、時効制度の根拠と考えられるものに㈠社会秩序又は法的安定の維持の理由から㈡採証上の理由から㈢権利の上に眠る者を保護しないという過怠罰的理由からという三つがあるとされている。なかでも㈠と㈡とが本質的なものとして考えられている。㈠の立場に立つ者は、時効の制度を社会秩序の維持を目的とするために時効によつて権利の得喪を生ずるものと解しているから実体法の制度と解していることになる。この立場に立つ学説を実体法説とよんでいる。これに対して㈡の立場に立つ者は、時効の制度が採証上の理由のために訴訟上の証拠方法としておかれたものであると解している（訴訟法上の制度と解していることになる）。この立場に立つ学説を訴訟法説とよんでいる。

さて、実体法説であるが、それがまた幾つにも分れている。大別して確定効果説と不確定効果説（条件説）とになる。確定効果説というのは、時効による権利得喪の効果は確定的に生じ、時効の援用を裁判上の防禦方法と解するものである。判例もこれに属している。しかし、これでは実体関係と裁判との間に矛盾を生ずることになるので、それを克服するものとして主張されたのが不確定効果説（条件説）である。これには解除条件説と停止条件説とがある。前者は、時効の効果は時効の完成によつて一応発生し、時効の援用によつてその効果が確定し、時効利益の放棄によつて初めに遡つて不発生に確定すると解するのに対し、後者は、時効の完成のみによつてはまだ時効の効果は発生することなく、時効の援用によつてはじめて発生し、時効利益の放棄によつて不発生に確定するというふうに、時効の効果を時効の援用又は放棄によつて停止条件的に理解しようとする。しかし此の説では、時効完成後に時効の完成を知らないでなした承認又は弁済をどう取り扱うかについて満足し得る理論を提供しないという非難がなされている。それを克服するために、時効の制度を根本から考え直して主張されたのが訴訟法説である。この説に立てば、実体法説では難点とされていたところが余すところなく説明されるように見える。しかし、訴訟法説は於保教授の指摘されるような非難——現行法体系の下においては、もしかりに時効制度が訴訟制度であるとしても、それならば訴訟法上の時効制度に相応する実体法上の時効制度が考えられねばならない筈である。確定効果説は、時効の援用及び放実を訴訟行為と解することによつて、時効制度自体の中で実体法と訴訟法との矛盾を来しているとすれば、訴訟行為説を改めて、その矛盾をなくしてはじめて解決しえられるのであつて、訴訟法説のように、時効制度全体を訴訟法に移行せしめれば、実体法関係はそのまゝでありながら、訴訟上は時効によつて無権利者が権利者とされ、義務者は義務なきものとされる矛盾を生ずる。時効制度の中における矛盾を外に出すことによつて如何にも矛盾が解決されたようにみえるが、これは表見的のものであつて、時効制度全体が実体法と矛盾し、この矛盾は何等解決されていない。さらに、たとえば、訴訟法説のように、時効制度は客観的証拠法則に関する制度と解するならば、時効のみに絶対的証拠力を認むべきであつて、債務者又は占有者の単純なる承認に時効の絶対的証拠力を左右する効力を認むべきではあるまい。以上述べたような非難（もつとも、訴訟法説によれば＝山中・総則講義、時効制度は真の権利者たることの蓋然性、または本当は債務者でない蓋然性のきわめて高い者を、権利者であり、または債務者にあらずとする制度であるとされるから、この非難のうち後者の非難が本質的でないかと私は考える）――を受ける構成をもつているのであるまいか。

時効に関する学説は以上のように分類され、以上のような展開を示してきたことを概観してきた。次に、判例を主にしながら、それに対する学説の批判を従として詳細に述べてゆきたい。

＊　時効についての学説を整理し批判したものとして、吾妻「私法制度における時効制度の意義」法協四八巻一七五頁以下、山中「時効制度の本質」ジュリストNo.８二頁以下、於保「時効の援用及び時効利益の放棄」法曹時報五巻三〇二頁以下、中島(弘)「時効制度の存在理由と構造」法学新報六十四巻二三三頁以下がある。私の序論はとくに於保教授の前掲論文に負うところが多く、分類や用語もそれに従つている。

＊　学説の分類は左の通りにした。

（一）　実体法説

(1) 確定効果説　梅・要義三三九頁以下、岡松・理由三七一頁以下、三潴・提要五四五頁以下、石田・総論四八一頁以下・総則一三五頁、柚木・判例総論（下）三三七頁以下・総論二五三頁以下

(2) 不確定効果説

(イ) 解除条件説　鳩山・総論五七五頁以下・法律行為乃至時効五八五頁以下、勝本・総則三一四頁以下

(ロ) 停止条件説　穂積・総論四五五頁以下、末川・総論二〇五頁以下、我妻・総則三三七頁以下

なお中島・前掲論文は実体法説に属するが、時効の援用を時効の効果発生に必要な効力要件であるとみなしている。また、於保前掲論文は、やはり実体法説に属しながら、時効の効果は社会的には絶対的であるが、当事者間では相対的であるとされている。

なお、川島教授は時効は、請求権に対する抗弁権を発生せしめ、その抗弁権の行使によつて請求権の消滅をきたすのであると解されている。川島・講義第一巻序説。また飯島・要論二四四頁以下によれば、時効によつて権利の消滅するということは、権利の作用である請求権が消滅すると解するほかはないとされる。

(二) 訴訟法説

吾妻・前掲論文、山中・前掲論文・総則講義三一〇頁以下、舟橋・総則一六六頁以下、宮崎「地役権の時効取得」法協四六巻一三一〇頁

同一範疇に入ると思われる学説も、総ての点において同じことを説いているのではなく、それぞれニュアンスに差があつたり条文の解釈に差があつたりする。この論文では、石田、柚木、鳩山、穂積、我妻、吾妻、山中、舟橋、川島、於保の諸教授の説を代表として主として引用することにした。

＊　私は停止条件説が一番難点が少いように思う。たゞし、取得時効と消滅時効とはわけて考慮した方がい

いと思うが、まだそれに熟していないわけでない。

一　時効援用の意義

一　時効の援用とは、時効によって利益を受ける者——取得時効によって所有権を取得する者、消滅時効によって債務を免れる者など——が、時効の利益を受けようと主張することである。ところで既に述べたところであるが、民法は第一四五条で「時効ハ当事者ガ之ヲ援用スルニ非サレハ裁判所之ニ依リテ裁判ヲ為スコトヲ得ス」と定めているが、他の箇所（民一六二・一六三・一六七以下）においては、時効の効果として権利の得喪を生ずる旨を定めている。そこで両者を矛盾なく調和させることが問題となるわけである。

二　判例は序論で述べたように古くから、時効によって権利の得喪が絶対的に生じ、援用は、訴訟法上裁判官が裁判をする要件であり（裁判官の職権を制限したものであり）、従つて、当事者が援用をするのは、訴訟上の防御方法であると説いている。

【1】「消滅時効ニ罹リタル権利ハ当事者カ時効ヲ援用スルニ因リテ始メテ消滅スルモノニアラスシテ時効完成ノ時ニ於テ業已ニ消滅スルモノトス乃チ民法第百四十五条ノ規定ハ消滅時効ニ付テ之ヲ云ヘハ時効ニ因リテ利益ヲ享有スル者カ抗弁方法トシテ之ヲ利用スルニアラサレハ裁判所ハ時効ニ因リテ権利ノ消滅シタル事実ヲ認定スルコトヲ得サルモノト為シタルニ過キス要スルニ裁判所ハ職権ヲ以テ時効ノ法則ヲ適用スルヲ得サル趣旨ヲ明ニシタル規定ニ外ナラス」（大判明三八・一一・二五民録一一・一五八一）

【2】「債権ハ消滅時効ノ完成ト共ニ当然消滅シ当事者カ時効ヲ援用スルヲ待テ始メテ消滅スルモノニ非

ス唯当事者カ之ヲ援用スルニ非サレハ裁判所ハ之ニ依リ裁判スルヲ得サルニ過キス而シテ時効ヲ援用シ得ヘキ当事者ハ時効ニ因リ利益ヲ受クル者ナラサル可ラサレハ債権者ハ固ヨリ時効ヲ援用スルヲ得ス故ニ縦令債権者カ時効ヲ主張スルモ債務者ニ於テ之ヲ援用セサルトキハ裁判所ハ之ヲ以テ裁判ノ資料ト為スコトヲ得ス時効ノ援用ハ訴訟上ノ防禦方法タルニ過キサレハ之ヲ援用スルト否トハ時効ノ利益ヲ受クル当事者ノ任意ニ取捨シ得ヘキ所ニシテ債務者ハ一旦之ヲ援用スルモ何時ニテモ任意ニ之ヲ撤回シ得ヘキヲ以テ時効ノ援用ヲ撤回シ裁判外ニ於テ時効ノ利益ヲ拋棄スルヲ妨ケス又時効利益ノ拋棄ハ債務者一方ノ意思表示ノミニテ効力ヲ生シ債権者ノ同意ヲ要セサレハ苟モ債務者カ時効ヲ拋棄シタル以上ハ債権ハ存在スルコトトナルカ故ニ有効ノ弁済アリ得ヘキハ当然ノ理ナリ」（大判大八・七・四民録二五・一二一五）

このような判例の態度は多くの学者の賛同を得、かつての通説であった（柏木・総論二五五頁、石田・総則一三八頁）。然るに大審院は昭和一〇年に従来の態度を変更するかのような判決をした（大判昭一〇・一二・二四民集一四・二〇九六頁判民一四一事件吾妻）即ち、

【3】「民法カ第百四十四条第百六十二条及第百六十三条ニ於テ取得時効完成ノ場合ニ於テハ期間満了ニヨリ当然権利取得ノ効果ヲ生スヘキコトヲ明定シタルニ拘ハラス第百四十五条ニ於テ『時効ハ当事者カ之ヲ援用スルニ非サレハ裁判所之ニ依リテ裁判ヲ為スコトヲ得ス』ト規定シタルハ一ニ当事者ノ意思ニ反シテ強制的ニ時効ノ利益ヲ享ケシムルヲ不可トシタルニ外ナラスサレハ此規定ノ解釈適用ヲ為スニ際リテハ右ノ趣旨ヲ体シ当事者ノ意思ヲ無視セサル範囲ニ於テ出来得ル限リ実質的権利関係ト裁判ノ結果トノ不一致ヲ避ケ併セテ民法カ時効ノ制度ヲ設ケタル趣旨ヲ没却セサランコトヲ期セサルヘカラス然ルニ原審ノ如ク裁判所カ時効ニ依リテ裁判ヲ為スニハ当該訴訟ニ於テ直接時効当事者タル者ノ援用アルコトヲ要スト謂フカ如キ厳格ナル解釈ヲ採ランカ永続セル事実状態ニ信頼シ之ヲ基礎トシテ建設セラレタル多数ノ法律関係ヲ保護セント

スル取得時効制度ノ主要ナル理由ハ大半没却セラレ而モ右時効ニ関スル限リ大多数ノ場合ニ於テ裁判所ハ実際ノ権利関係ヲ無視シテ裁判ヲ為ササルヘカラサルニ至ラン……サレハ少クトモ取得時効ニ付テハ直接時効ノ利益ヲ享クル者ハ裁判上タルト裁判外タルトヲ問ハス何時ニテモ之カ援用ヲ為スヲ得ヘク一旦其ノ援用アリタル時ハ茲ニ時効ニヨル権利ノ取得ハ確定不動ノモノトナリ爾後ハ契約其ノ他ノ法律事実ト同ク何人ト雖訴訟ニ於テ之カ主張ヲ為シ得ルモノト解セサルヘカラス」

一旦援用があれば（裁判外でも）、ここに時効による権利の取得は確定不動のものとなるとなすことで前に述べた判例と違っている。そこで、確定効果説をとる学者がこれを非難しているのは当然であるが、いったい、この判決は従来の判決を変更したものであろうか。その後これを確認した判決がないことと、連合部の判決でないことから否定的に解すべきであるという説が有力のようである（柚木・判例総論下三四四頁）。

三　このような判例の態度に対して多くの学者が夫々の立場に立って批判していることは既に述べたが、ここではそれを詳細に述べよう。批判された理由は、判例の立場に立てば、実体関係と裁判との間に矛盾を生ずるということと、時効は、本来、当事者の意思をも顧慮して効果を生じさせようとする制度と考えるべきであるのに、当事者の意思をまつことなくして権利の得喪を生じさせるということになる。そして一度絶対的に生じた権利の得喪を放棄するというのは法律的に一貫して合理的に説明しにくいといったようなものである。これは不確定効果説をとる者から主張されたものである。さらに、また、判例が時効を実体法上の制度と解しているのに対し、時効の本質は採証上の理由から設けられた訴訟法上の制度として解すべきであるという見地から批判している有力な学説も存在する（これを訴訟法説とよぶことも前に述べた）。それならばそれらの学説が時効の援用をどう解しているのであろうか。

(一)　不確定効果説（条件説）

(1)　解除条件説　時効によって、権利の得喪は、一種の解除条件的に発生し、援用または放棄によって確定すると解する説である（鳩山・総論五七五頁）。

(2)　停止条件説　時効の完成のみによってはまだ時効の効果は発生することなく、時効の援用によってはじめて発生し、時効利益の放棄によって不発生に確定すると解する説である（穂積・総論二一三頁 我妻・総則三四五頁）。

＊　なお於保教授は時効の効果は対世的には絶対的であり、当事者間では相対的であると解しておられることは既に述べた。それによれば、時効の完成によって対世的には絶対的に効果が生ずる。当事者間においては援用（受益の意思表示）によって効果が発生する。それは当事者間に裁判上の争いがある場合にのみ意味があるというのである。

＊　時効によって、あるいは時効の援用によって消滅した債権は絶対的に消滅したのかということについては、自然債務になるという見方がある。というのはそれらの債権者がなお相殺の用に供し得るからであるとされている（民五〇八、我妻・債権総論四九頁）。

(二)　訴　訟　法　説

判例ならびに不確定効果説が、時効の根拠を主に社会秩序の維持においているのに対して（判例が時効を公益のために設けたといっているのは主としてこのことをいっているのだと思う＝大判大八・六・一九、民録二五・一〇五八、なお判例【3】はそのことをより具体的に示している）、訴訟法説によれば、既に述べたように時効の根拠を採証理由におき、時効の制度を訴訟法上の採証法則に関する制度として解することになる。この説にたつ舟橋教授によれば、「時効は、権利得喪の証拠方法に代るものであるから、訴訟上における援用をまつて、はじめて権利の得喪が証明せられたこととなり、これを基礎として、裁判をなしうるに至るものと解すべきであるから、援用は、時効の利益を受ける旨の裁判上の主張」ということになる（舟橋・総則一七五頁）。

＊　川島教授は、時効にかかつた請求権を拒絶するところの、これに対抗する抗弁権を発生せしめるのであり、援用は、この抗弁権の行使すなわち裁判上の主張であるとされている（川島・序説七三頁）。

＊　於保教授の説についても既に述べたところであるが、時効の効果は対世的には絶対的であり、当事者間においては相対的である。時効の援用は、当事者間において、時効の利益を受けるという受益の意思表示であつて、当事者間に争いが生じた場合に裁判上において問題になるだけであるとされている（於保・前掲論文三二一頁）。

＊　私は、前にも述べたように停止条件説が最もよいと考えている。各学説に対する私の考えは、余裕がないので省略する。

時効の援用の意義については以上述べてきたように説がわかれるのであるがその結果、自ら援用権者、援用の場所についての見解もわかれてくることになる。

二　援用権者

一　時効は「当事者」がこれを援用すべきであるが（民一四五）、その範囲について問題が多い。判例は、「当事者」の範囲を一般的に「時効ニヨッテ直接ニ権利ヲ取得シ又ハ義務ヲ免レル者及ビソノ承継人ニ限ル」としている（大判明四三・一・二五民録一六・二二、大判大八・六・一九民録二五・一〇五八、大判大八・六・二四民録二五・一〇九五、大判大八・七・四民録二五・一二一五、大判昭三・一一・八民集七・九八〇、大判昭八・一〇・一三民集一二・二五二〇、大判昭九・五・二民集一三・六七〇、大判昭一一・二・一四新聞三九五九・八。即ち、

【4】　「民法ハ第百四十五条ニ於テ時効ハ当事者カ之ヲ援用スルニ非サレハ裁判所之ニ依リテ裁判スルヲ得スト規定ス而シテ其所謂当事者トハ時効ニ因リ直接ニ利益ヲ受クヘキ者即取得時効ニ因リ権利ヲ取得シ又ハ消滅時効ニ因リテ権利ノ制限若クハ義務ヲ免ルル者ヲ指称ス故ニ時効ニ因リ間接ニ利益ヲ受クル者ハ所謂当事者ニ非ス若シ此ノ如キ者モ独立シテ時効ヲ援用スルヲ得ルトセンカ直接ニ利益ヲ受クル者例ヘハ債務者ハ時効ノ利益ヲ受クルヲ欲セスシテ時効ヲ援用セス若クハ之ヲ拋棄シタルカ為メ債務ノ弁済ヲ命セラレタルニ拘ラス間接ニ利益ヲ受クル者例ヘハ抵当権ヲ設定シタル第三者ハ時効ヲ援用シテ抵当権ノ行使ヲ免ルルヲ得ヘク債権者ハ主タル債権ヲ有シナカラ従タル抵当権ヲ失フカ如キ不合理ナル結果ヲ見ルニ至ルヘシ是豈ニ法律ノ望ム所ナランヤ若シ夫レ当事者ノ承継人ハ当事者ノ時効援用権ヲ承継スルカ故ニ当事者ト同視セラルヘキモノニシテ時効ヲ援用シ得ヘキハ当然ナリ然リ而シテ被上告人ハ係争債権ヲ担保スル抵当権ノ目的物タル不動産ノ第三取得者タルニ過キサレハ抵当債権ノ消滅時効ニ罹リタルカ為メ直接ニ利益ヲ受クヘキニ非ス抵当債権消滅スルトキハ其取得シタル不動産上ニ存スル抵当権消滅スルノ結果其所有権安固トナルノ利益ハ之ヲ受クヘシト雖モ其利益タル時効ノ直接ノ効果ニ非サレハ抵当債権ノ消滅時効ヲ援用シ得ヘキ当事者ト謂フ可ラサルヤ論ヲ俟タス」（大判明四三・一・二五民録一六・二二）

【5】「時効ハ公益ノ為メニ設ケタル制度ナルカ故ニ当事者ノ援用スルト否トニ拘ラス裁判所ハ之ニ依リテ裁判ヲ為スモ不可ナキモノノ如シト雖モ時効ノ利益ヲ受クヘキ者カ之ヲ受クルヲ欲セスシテ証拠ニ依リ理非ヲ争ハンスルコトアルヘク斯ル場合ニ於テ時効ノ利益ヲ得セシムルハ其必要ナキノミナラス反テ当事者ノ意思ニ悖ルモノナリ是民法第百四十五条ノ規定アル所之ナレハ同条ニ所謂当事者ハ時効ニ因リ直接ニ利益ヲ受クヘキ者即チ取得時効ニ因リ権利ヲ取得シ又ハ消滅時効ニ因リ義務ヲ免カルル者ヲ指称シ時効ニ因リ間接ニ利益ヲ受クヘキ者ノ如キハ之ヲ包含セサルコト本院判例ニ示ス所ナリ」（大判大八・六・一九民録二五・一〇五八）

判例がこのような態度をとつた理由は、判決の中で述べているように、民法は時効の利益を受けるか否かは債務者（ここでは特に消滅時効について述べる）の意思にかゝらせている。もし債務者が時効の利益を受けるのを欲しない場合に、抵当権を設定した物上保証人が時効の援用ができるとすれば債権者は主たる債権を有しながら従たる抵当権を失う結果になつて、不都合であるというのである。即ち時効を公益の制度とみながら一方において債務者の意思を重視した制度とみているからである。このような判例の一般的な態度と説を同じくする者も少くない（鳩山・総論五九四頁、穂積・総論四六二頁、しかし両教授とも具体的な問題については判例と見解を異にしておられる。直接説をとるならばその態度は疑問である）。

二　このように、判例が当事者の範囲を狭くきびしく解するのに対して、その範囲を拡張すべきことを主張する学者がかなり多くかつ有力である。不確定効果説をとられる我妻教授は、時効によつて直接に権利を取得し又は義務を免れる者の他、この権利又は義務に基いて権利を取得し又は義務を免れる者を含むと解されておるし（我妻・総則三四五頁）、確定効果説をとられる柚木教授は時効によつて当然に法律上の利益を取得する者と解しておられる（柚木・判例総論下三五二頁）。その理由は、援用権者の範囲を縮限することは、時効によって社会の法律関係を確定しようとする趣旨を破るおそれがあるからだとされている。時効を社会秩序の維持のための制度と見る限り、以上のように解することが妥当だといわざるを得ない。また訴訟法説をとる者は、当事者を訴訟の当事者と解することになり、現実には訴訟上時効を援用するについて正当の利益を有する者だけが援用権を認められると解する（舟橋・総則一七六頁、山中・講義三二八頁、なお時効抗弁権説をとられる川島教授も見解を同じくしておられる。川島・講義七三頁）。いずれにしろ現在においては当事者の範囲を拡張して解釈すべきことは通説といってよい。

三　このような一般的な態度のもとで具体的にどういう者が当事者として問題にされたかについて述べよう。消滅時効の方から述べることにする。

(一)　消滅時効　保証人が援用権者であることについては判例・学説ともに異論がない。即ち「主タル債務カ時効ニ依リテ消滅スルトキハ保証債務モ亦消滅スヘキモノナレハ保証人ハ時効ヲ援用スルニ付テ直接ノ利益ヲ有シ其当事者ナルコト疑ヲ容レス果シテ然ラハ保証人ニ於テ時効ヲ援用スル以上ハ仮令主タル債務者カ他ノ訴訟ニ於テ之ヲ援用セサルモ債務ハ時効ノ完成シタルトキ消滅スヘキヲ以テ保証人ハ之ニ依リテ保証債務ヲ免カルヘキモノトス」（大判大四・一二・一一民録二一・二〇五一）としている（同旨、大判大四・七・一三、民録二一・一三八七、大判昭八・一〇・一三民集一二・二五二〇、大判昭一三・六・二四新聞四二九四・一八、我妻・総則三四六頁他）。連帯保証人についても同様である。即ち「保証人カ主タル債務者ト連帯シテ債務ヲ負担シタルトキト雖尚保証債務タル性質ヲ失ハサルモノニシテ而モ保証人アル債務ニ付消滅時効完成シタルトキハ主タル債務ノ消滅ニ伴ヒ之ニ従タル保証債務モ亦当然消滅スルモノナレハ保証人ハ時効ヲ援用スルニ付直接ノ利益ヲ有シ民法第百四十五条ニ所謂当事者トシテ自ラ時効ヲ援用シ得ルモノナルト同時ニ保証人カ自己ニ対スル債権ノ消滅時効完成後其ノ利益ヲ抛棄シタル事実アリトスルモ主タル債務者ニ於テ時効ノ利益ヲ抛棄セサル限リ保証人ハ前記説明ノ如ク自ラ主タル債務ニ付完成シタル時効ヲ援用シテ債権者ノ請求ヲ拒ムコトヲ得ルモノトス蓋保証債務ハ主タル債務ニ従属シテノミ存在シ得ヘク従テ主タル債務ノ消滅後独立シテ存続スルコトヲ得サルモノナレハナリ」(大判昭七・一二・二新聞三四九九・一四)としている(同旨、大判昭七・六・二一民集一一・一一八六、我妻・総則一二四六頁)。なお連帯債務者については第四百三十九条で立法的に解決している。以上述べたのは判例で当事者に属するとされたものである。次に述べるのは判例で当事者に属さないとされたものである。まず物上保証人及び抵当不動産の第三取得者である。物上保証人については前に述べた明治四三年一月二五日の判例【4】の傍論で「間接ニ利益ヲ受クル者例ヘバ抵当権ヲ設定シタル第三者ハ時効ヲ援用シテ抵当権ノ行使ヲ免ルルヲ得ベキハ……是豈ニ法律ノ望ム所ナランヤ」としている。抵当不動産の第三取得者については、同じ判決の本論で「被上告人ハ係争債権ヲ担保スル抵当権ノ目的物タル不動産ノ第三取得者ニ過ギザレハ抵当債権ノ消滅時効ニ罹リタルガ為メ直接ニ利益ヲ受クベキニ非ズ抵当債権消滅スルトキハ其取得シタル不動産上ニ存スル抵当権消滅スルノ結果其所有権安固トナルノ利益ハ之ヲ受クベシト雖モ其利益タル時効ノ直接ノ効果ニ非ザレバ抵当債権ノ消滅時効ヲ援用シ得ベキ当事者ト謂フ可ラザルヤ論ヲ俟タズ」としている(同旨・大判昭一〇・五・二八新聞三八五三・一三)。ただし大正十三年(大判大一三・一二・五、民集三・五六七、判民一一三事件舟橋)に、債務者が時効の利益を放棄したので、債権者が抵当権に基いて競売をしたところ、その抵当不動産の第三取得者が債権の時効消滅を理由として異議を述べ、原審がこの異議を排斥したのに対して「時効ノ利益ノ抛棄ハ抛棄者及其ノ承継人以外ノ者ニ対シ其ノ効力ヲ生スルモノニ非ス然ルニ原判決ハ明治三十年一月十五日ヲ弁済期トスル債務ニ付十年ノ時効完成シタルモ債務者某ノ相続人某カ大正十一年六月八日時効ノ拋棄ヲ為シタルノ理由ニヨリ其債務ニ付設定セラレタル抵当権ノ目的タル本件ノ不動産ヲ大正九年二月十二日取得シタル上告人ヲ尚抵当義務者ナリト認メタルモノナルヲ以テ原判決ハ時効ノ利益ノ拋棄カ拋棄者及其ノ承継人以外ノ者ニ及フモノト為シタル違法アルモノニシテ全部破毀ヲ免レサルモノトス」としているが、これは第三取得者に時効援用権があることを前提としてのみ是認せられる。この判決が明治四三年の判決を変更したとはいえないであろう。昭和一〇年には明治四三年の判決と同旨の判決がなされているからである。物上保証人及び抵当不動産の第三取得者が援用権者でないとするこのような判例の態度に対して、学者の多くが前述したような見解から反対している（我妻・総則三四六頁、柚木・判例総論下三五〇頁）。次に、詐害行為の受益者についても判例は援用権を否定して次の如く云っている「債務者カ債権者ヲ詐害スル為法律行為ヲ為シタル場合ニ於テハ其ノ相手方タル受益者ハ若シ債権者ノ債権カ消滅時効ニ因リ消滅スルトキハ其ノ債権者カ詐害行為ノ取消権ヲ失フノ結果トシテ受益者ノ取得シタル権利ノ安固トナルヘキ利益ヲ得ヘキモ其ノ利益タルヤ時効ノ直接ノ結果ニ非サルヲ以テ其ノ債務ノ消滅時効ヲ援用シ得ヘキ当事者ト謂フコトヲ得サルモノトス」（大判昭三・二・八民集九・九八〇判民九三事件新井）。これについても同様に学者の多くが反対している（我妻・総則三四六頁、柚木・判例総論三五〇頁）。また僭称相続人から相続財産の譲渡を受けた者についての判例の態度も同様である。即ち「被上告人等ハ僭称相続人タル右某ヨリ本件不動産ヲ買受ケ又ハ抵当権ノ設定ヲ受ケタルモノニシテ被上告人等ハ其ノ買受又ハ設定ニ因リテ本件不動産上ノ権利ヲ取得シ得サリシモノナルカ故ニ上告人ノ有セル家督相続回復請求権ノ消滅時効完成シタルトキハ僭称相続人ニ於テ之ヲ援用シ得ルハ勿論ナルモ被上告人等ハ自ラ之ヲ援用シ得ヘキモノニ非ズ」（大判昭四・四・二民集八・二三七判民二一事件穂積）。これに対して学者の多くが反対しているのも同様である（我妻・総則三四六頁、柚木・判例総論下三五〇頁）。さらに売買予約の目的物について所有権もしくは抵当権を取得したる者についても判例は援用権を否定している。即ち次の如く述べて「民法第百四十五条ニ所謂当事者トハ時効ニ因リテ直接ニ利益ヲ受クル者ノミヲ指称シ其ノ間接ニ利益ヲ受クル者ノ如キハ之ニ該当セサルヲ以テ売買ノ予約アリタル場合ニ於テ予約義務者ハ其ノ相手方タル予約権利者ノ有スル予約上ノ権利ニ付消滅時効ノ援用ヲ為シ得ルコト勿論ナルモ其ノ目的物ニ付所有権若ハ抵当権ノ取得シタル第三者ノ如キハ之カ援用ヲ為シ得サルモノト解スルヲ相当トス蓋売買予約上ノ権利ハ単ニ予約権利者カ予約義務者ニ対シテ有スル権利ニ過キスシテ右ノ如キ第三者ハ何等義務ヲ負担スルモノニ非サルヲ以テ消滅時効ノ完成ニ因リ直接ニ利益ヲ受クルモノト謂ヒ難ク此ノ理ハ予約ニ基ク物権ノ移転請求権ニ付仮登記存在シ爾後第三者カ目的物ニ付所有権若ハ抵当権ヲ取得シタル場合ニ於テモ敢テ異ルトコロナシ仮登記存スル場合ニ於テハ爾後目的物ニ付物権ヲ取得シタル第三者ハ右予約上ノ権利ノ消滅時効完成ニ因リ仮登記ニ因ル本登記ノ順位保存ノ効力ヲ妨ケ自己ノ権利ヲ全フシ得ヘシト雖這ハ単ニ予約権利者カ予約義務者ニ対シテ有スル権利ヲ喪失スル結果ニシテ時効ニ因リ直接ニ受クヘキ利益ナリト謂フヲ得サルヘク若シ右ノ如キ第三者カ時効ヲ援用シテ仮登記ニ因ル本登記ノ順位保存ノ効力ヲ妨ケ得ヘシトセハ予約義務者ハ仮登記ヲシテ其ノ効果ヲ全フセシムル為時効ノ援用ヲ欲セサルニ拘ラス其ノ第三者ニ対スル関係ニ於テハ時効ヲ援用シタルト同一ノ結果ト為リ時効ノ援用ヲ当事者ノ意思ニ一任シタル立法ノ精神ニ背馳スルニ至ルヘケレハナリ」としている（大判昭九・五二民集一三・六七〇、判民五八事件我妻）。これに対して学者のある者が反対しているのは前の場合と同様である（柚木・判例総論下三五〇頁）。以上述べてきたのは学者が問題にした判例である。

ところで判例は和議の際の債権者・整理委員・和議管財人には援用権がないとしている（大判昭一二・六・三〇民集一六・一〇三七）。これに対して援用権を認めるべきだという学説もある（柚木・判例総論三五二頁、判民七五事件兼子）。援用権者の範囲を出来得る限り広く認めることが妥当であるとするなら認めるべきであろうが、援用権者を時効によって直接権利を取得し又は義務を免れる者の他、この権利又は義務に基いて権利を取得し又は義務を免れる者を包含するという立場に立つならば判例の立場を是とすべきではなかろうか。

また判例が援用権者でないとした者に債権者がある。即ち「時効ヲ援用シ得ヘキ当事者ハ時効ニ因リ利益ヲ受クル者ナラサル可ラサレハ債権者ハ固ヨリ時効ヲ援用スルヲ得ス故ニ縦令債権者カ時効ヲ主張スルモ債務者ニ於テ之ヲ援用セサルトキハ裁判所ハ之ヲ以テ裁判ノ資料ト為スコトヲ得ス」（大判大八・七・四民録二五・一二一五）。債権者はもとより時効によって利益を受ける者でないから妥当な見解といわざるを得ない（柚木・判例総論下三五二頁）。

以上述べた判例は一般に知られている判例であるが、なお二つの判例を附加しておこう。その一は供託金返還請求権の譲受人が供託金によって担保されるべき損害賠償債権の時効を援用することができるかという判例であり、他は、配当異議の訴をした債権者が他の債権者の債権の時効を援用することができるかという判例である。大審院は、共に、直接に利益を受ける者でないとして援用権が否定された（前者大判昭七・四・一三、新聞三四〇〇・一四。後者大判昭一一・二・一四、新聞二九五九・八）。後者の判例の態度について異論はないが、前者については前述してきた援用権者を拡張する学説にたてば判例の態度は疑問である。

㈡　取得時効について援用権者をめぐつて争つた大審院の判決はないようである。ただし、前に述べた昭和一〇年の判決【3】は「裁判所カ時効ニ依リテ裁判ヲ為スニハ当該訴訟ニ於テ直接時効当事者タル者ノ援用アルコトヲ要スト謂フカ如キ厳格ナル解釈ヲ採ランカ永続セル事実状態ニ信頼シ之ヲ基礎トシテ建設セラレタル多数ノ法律関係ヲ保護セントスル取得時効制度ノ主要ナル理由ハ大半没却セラレ而モ右時効ニ関スル限リ大多数ノ場合ニ於テ裁判所ハ実際ノ権利関係ヲ無視シテ裁判ヲ為サザルヘカラサル至ラン例ヘハ甲ノ所有地ヲ乙カ時効ニヨリテ取得シ之ヲ丙ニ譲渡シ丙ハ丁ニ地上権ヲ設定シ更ニ其ノ上ニ抵当権カ設定セラルル等諸種ノ法律関係発生シタル場合ノ如キ其ノ後ニ至リテ甲カ自己ニ所有権アリト主張シ丙以後ノ各権利取得者ヲ被告トシテ其ノ権利ヲ争ヒタリトセハ被告等ハ孰レモ乙ノ取得時効ヲ主張スルヲ得ス空シク手ヲ拱ネテ敗訴シ正当ニ取得シタル権利ヲ喪失シ終ルノ外ナク又仮令被告等ハ其ノ事実ヲ主張シ原告亦事実トシテハ乙ノ取得時効ノ要件ヲ具備セル占有ヲ認メタル場合ニ於テモ裁判所ハ之ヲ無視シテ被告等敗訴ノ判決ヲ為スノ外ナカラン」といつている。もつともこの判決をこれを前提として裁判外の援用を認めたものであるが、これだけをみるならば、土地所有権を取得すべき者から、この土地の上に地上権、抵当権の設定を受けた者も援用権があるかのように解せられる。もつとも、この判決は前に（二の一）述べたように異例の判決であるから、その価値は疑問である。消滅時効のところで述べたように、援用権者を時効によつて直接に権利を取得する者に限るというのが判例の一般的な態度であるから、右に述べたような者は、当然、判例の立場からすれば援用権者でないということになろう。それに賛する学者もあるが（鳩山・総論五九四頁、穂積・総論四六二頁）、これに反対する学説も有力である。即ち、援用権者の範囲を拡張する立場から、土地所有権を時効取得すべき者から、この土地の上に地上権・永小作権等の設定を受けた者は、その取得した権利の範囲において、援用権があると解すべきだとしているのである（我妻・総則三四六頁、柚木・判例総論下三五二頁）。たゞし、此の場合には、援用しない土地所有権者は利益を受けないから、原権利者の許で、これらの権利だけが成立することになる。

＊　訴訟法説によれば援用の当事者は訴訟当事者を意味することは既に述べた。この説に立てば判例よりその範囲が広くなることは当然の帰結である。

三　援用の方法

一　援用すべき場所

㈠　判例が時効の援用を訴訟上の防禦方法と解することは既に述べた通りである。その当然の帰結として、時効の援用は裁判上なすことを要するとされるであろう（前述【2】判例を参照）。しかし、判例がこのような態度――裁判外の援用を認めない――を堅持しているかというと、かなりの動揺が見られるのである。

約束手形所持人甲が手形債権の時効消滅後に振出人乙に対して手形債務の履行を請求したところ、乙は裁判外において時効を援用したので、甲は乙に対して改めて償還請求（手形七〇・八五）を訴求した。勿論乙はこの裁判において時効を援用しなかつた、という事案において次のように判決した。

【6】「時効ハ時ノ経過ニ因リテ効力ヲ発生スルモノニシテ消滅時効ニ罹リタル権利ハ時効成就ノ時ニ於テ業既ニ消滅セルモノナルヲ以テ債権者ニ於テ其事実ヲ主張スルコトハ前示法条ノ規定ト全然没交渉ナルノミナラス他ニモ之ヲ妨クヘキ法律上ノ理由アルコトナシ故ニ本訴カ手形金ノ支払ヲ請求スル為メノモノナランニハ仮令其手形カ消滅時効ニ罹リタルニセヨ債務者タル被告ニ於テ時効ヲ援用スルニ非サレハ裁判所ハ該手形債権ヲ時効ニ因リ消滅シタルモノトシ債務者ノ為メ勝訴ノ裁判ヲ為スコトヲ得サランモ被上告人ハ手形債権カ時効ニ因リ消滅シタルカ故ニ手形所持人トシテ振出人タル上告人ニ対シ償還ノ請求ヲ為スモノナレハ其請求ノ事由トシテ手形債権ノ消滅時効ニ罹リタル事実ヲ主張スルコトヲ得ヘクシテ此場合ニ民法第百四十五条ノ適用ナキモノトス」（大判大八・六・一九民録二五・一〇五八、【5】と同一判決である。なお、大判明三八・一一・二五民録一一・一五八一は同じような事案で手形債権の消滅時効について当事者間に争がないからとしている）。

このような判例の態度（結果的には債権者に時効の援用を認めることになるか、あるいはそうでないとすれば判例が援用権者でないとしたものにも同じ結論を認めざるを得なくなる）に対して、裁判外の援用をも認める不確定効果説をとる学者から不撤底であると批判されている（我妻・総則三四七頁）。即ち、乙の裁判外の援用によって甲の手形債権は確定的に消滅するから、甲はこれを主張しこれを基礎として償還請求をなすことができると説明するのが最も妥当であると説明されている。このような批判に対して判例の立場を是認する学者から以下のような主張がなされている。この場合手形債権は時効の完成によって確定的に消滅したのであり、これによって法律上当然に利益をえた乙がその利益を主張するには裁判上の援用を必要とするけれども、時効によって法律上当然に利益をえたのでないところの甲がその時効消滅を前提として別個の請求をなす場合には、別に乙の裁判上の援用をまつことなく、時効完成による権利消滅をいかなる場所においても主張しうべく、第一四五条と何等相関する問題ではない。そしてまたこれは債権者を援用権者の範囲より除外した判決（大判大八・七・四前掲）と何等矛盾するものではないと（柚木・判例総論下三五六頁）。

判例はさらに、昭和十年に〔判例3〕未成年者甲の所有地上の山林を親権者乙がAに売却したところ、丙は該土地及び山林の真正な所有者なりと主張して乙個人に対し不法行為の損害賠償を請求した際に、乙は本訴以前に甲を代理して該土地及び山林の時効取得を援用したことがあると抗弁した事案について「少クトモ取得時効ニ付テハ直接時効ノ利益ヲ享クル者ハ裁判上タルト裁判外タルトヲ問ハズ何時ニテモ之ガ援用ヲ為スヲ得ベク、一旦其ノ援用アリタル時ハ茲ニ時効ニヨル権利ノ取得ハ確定不動ノモノトナリ爾後ハ契約其ノ他ノ法律事実ト同ク何人ト雖訴訟ニ於テ之ガ主張ヲ為シ得ルモノト解セザルベカラズ……サレバ原審ハ乙ニ不法行為アリタルヤ否ヤヲ判断センニハ先其ノ主張ニ係ル時効完成ノ事実アリヤ否、若アリトセバ乙ガ裁判上又ハ裁判外ニ於テ丙（又ハ其ノ権限アル代理人）ニ対シ之ガ援用ヲ為シタルヤ否ニ付審理判断ヲ為サザルベカラズ」としている。裁判外の援用を認めたこの判決は、従来の態度を変更したものであるか否かについては、異例の判決であるとみられるところから、否定的に解すべきことは前に述べた通りである。

㈡　裁判上の援用のみを認めるこのような判例と態度を同じくする学者は多く、旧通説といってよい。即ち、時効の完成によって権利の絶対的得喪を生じ、時効の援用を訴訟上の防禦方法となす確定効果説をとるのがかゝる見解をとるのは当然のことである（柚木・判例総論下三五五頁、しかし石田・総則一三八頁は裁判外の主張もみとめておられる。於保教授は確定効果説をとられているわけでないが、やはり裁判外の援用は認められない＝於保・前掲論文三二一頁）。 また、時効の制度を訴訟法上の採証法則に関する制度と解する訴訟法説に立てば、時効の援用を裁判上に限るとすることは自然の帰結である（舟橋・総則一七六頁、山中・前掲論文六頁）。

これに反して、不確定効果説即ち、援用は時効によって生ずる効力を確定せる意思表示——単独行為——と解すれば、裁判外でもなし得るとなすことも自然の帰結である（我妻・総則三四六頁、鳩山・総論五九二頁、穂積・総論四六二頁、私もこのように解したい）。

(三) 判例は時効の援用を裁判上なされることを要すると解していること前述の通りであるが、それが通常手続でのみなされねばならぬか抗告手続でもよいかについては、抗告手続でもなし得ると解している。

【7】「競売法ニ基ク競落許可決定ニ対シテハ債務者ニ於テソノ基本債権ノ消滅ヲ理由トシテ抗告ヲ為シ得ヘキモノナレハ債務者カ右決定ニ対スル抗告ニ於テ競売ノ基本債権ハ時効ニ因リ消滅シタリトノ事実ヲ主張シ即時効ヲ援用シタル以上ソノ疏明アル限リ抗告裁判所ハ抗告ヲ理由アリトシテ適当ノ裁判ヲ為ササルヘカラス尤モ民法第百四十五条ニハ『時効ハ当事者カ之ヲ援用スルニ非サレハ裁判所ハ之ニ依リテ裁判ヲ為スコトヲ得ス』ト規定セルモ斯ル規定ノ存スル所以ハ一ニ当事者ノ意思ニ反シテ強制的ニ時効ノ利益ヲ享ケシムルヲ不可トシタルニ外ナラス且又如上競売事件ニ於ケル裁判ノ如キニ在リテモ時効ノ援用アル以上之ニ依リ裁判ヲ為スヲ相当トスルカ故ニ右規定ノ法意ハ之ヲ以テ彼ノ権利ノ確定ヲ目的トスル通常訴訟手続ニ於テノミ時効ノ援用及之ニ依ル裁判ヲ為シ得ト云フカ如キ狭義ノモノト解スヘキニアラス」（大判昭一二・九・一五民集一六・一四〇三判民九七事件菊井）

二　援用すべき時期

(一) 判例は、時効の援用は第一審の審理の時にしなくとも、第二審の判決前にすればよいとしている。援用を訴訟上の防御方法と解しているからである。

【8】「民法第百四十五条ニ所謂時効ノ援用ハ民事訴訟法第四百十五条ニ所謂防禦方法ニ他ナラサレハ第一審ニ於テ時効ヲ援用セサリシ当事者ハ自由ニ第二審ニ於テ時効ヲ援用スルコトヲ得ヘク所論ノ如ク訴訟カ第一審ニ繋続スル当時時効完成ノ事実ヲ知ラサリシコトヲ立証スルノ責任ナキコト民事訴訟法第四百十五条ノ法文ニ徴シ明白ナルノミナラス当事者カ援用スルト否トハ其権利ナルヲ以テ当事者カ第一審ニ於テ時効ヲ援用セサリシ一事ハ権利ヲ行使セサルモノト云フコトヲ得ヘキモ当然時効ノ利益ヲ拋棄シタルモノト謂フコトヲ得ス」（大判大七・七・六民録二四・一四六七）。

また、時効の援用は事実審においてのみこれをなし上告審においてなすを得ないとするのが判例の態度である。援用の効果を裁判所が承認するためには、時効完成という事実の確定を必要とするから、これまた当然の帰結である。

【9】「時効ノ援用ハ訴訟当事者ノ攻撃防禦ノ方法タル訴訟行為ノ一種ニ属シ下級審ニ於テ之ヲ為スヘキモノニシテ法律適用ノ当否ヲ審査スル上告審ニ於テ之ヲ為スヘキモノニ非ス」（大判大一二・三・二六民集二・一八二判民三三事件末延）。

㈡　このような判例の立場を確定効果説をとる者が是認するのは当然であるが（柚木・判例総論下三五八頁）、不確定効果説をとる者もこの結論を是認している。しかし、その理由は、援用を時効の効力を確定させる意思表示と解する結果、それは実体法上の権利関係を確定する行為だからだとされている（我妻・総則三四七頁、穂積・総論四六二頁、鳩山・総論五九三頁）。

訴訟法説に立つ者もその結論は異ならない。その理由は、時効は一つの証拠方法だからということになる（舟橋・総則一七七頁。なお、川島・総則七四頁を参照）。

㈢　時効の援用は事実審でなされねばならぬというのが判例の態度であるが、それならば別訴でも時効の援用をなし得るのであろうか。即ち、時効を援用しないで、判決が確定した場合、または、強制執行がなされた場合にも、その後に時効を援用してこれを覆えし得るかどうかということである。

判例は肯定している。

【10】「上告人等カ曩ニ被上告人ニ対シ提起シタル本件債権不存在ノ確認訴訟ニ於テ本件債権カ時効ニ因リ消滅シタリトノコトヲ主張シ得ヘカリシニ拘ラス之ヲ主張セス換言スレハ時効ヲ援用スルコトナクシテ敗訴シ其ノ儘該訴訟ノ判決ヲ確定スルニ至ラシメタル事実アリトスルモ元来債務者ニシテ債務ノ根本的ニ存在セサルコトヲ確認セルカ如キ場合ニハ債務存在シタレトモ時効ニ因リテ消滅シタリト云フカ如キコトハ想ヒ及ハサル所ナルヲ以テ時効ヲ援用シ以テ債務ノ不存在ヲ主張スルコトヲ為サスシテ判決ヲ受クルコト必スシモナシト云フ可カラス従テ上告人等カ前ノ訴ニ於テ時効ノ援用ヲ為ササリシトテ之ヲ以テ被上告人ヨリ提起セラレタル本訴（準消費貸借債権ニ基ク給付訴訟）ニ於テ時効ヲ援用シ抗弁トスルコトハ之ヲ許サスト為スハ当ラス」（大判昭六・一二・一九民集一〇・一二三七、判民一三二事件我妻、大判大一一・四・一四民一・一八七も同じ考え方で、債権不存在確認訴訟において時効を援用しないで敗訴し、判決を確定させたからといって、時効の利益を放棄したとはいえないとしている。同旨大判昭七・六・四新聞三四四七・一一）。

【11】「一定の債権に関する消滅時効の援用は必ずしも其の債権の存在が主張せらるる訴訟に於て為さるることを要するものにあらずして他の訴訟に於て之を為すを妨げざるものとす（中略）一定の債務が一度消滅時効に因り消滅したるときは仮令其の後該債務が強制執行に因り履行せられたる後と雖も苟も債務者にして其の時効の利益を抛棄したる事実の存在せざる限り尚之が援用を為すことを妨げらるることなきと同時に斯くの如き時効援用ありたるときは該時効は其の起算日に遡りて効力を生じ前記強制執行に因る履行は債務なくして為したる履行として不当利得返還請求権発生の原因となるものと謂はざるべからず」（大判昭七・四八、法学一・一〇・一六〇）。

判例は、時効完成を知らなかつたことを挙証すれば、時効利益の放棄とならないから、改めて援用することができるとしているのである。たゞし、昭和九年の判決では、債務者が確定判決に基く強制執行に対して異議の訴を提起するには、口頭弁論の終結後に時効が完成した場合でなければならないとしている。

【12】「債権ハ消滅時効ノ完成ト共ニ当然ニ消滅シ当事者カ時効ヲ援用スルヲ待テ始メテ消滅スルモノニ非ス時効ノ援用ハ債権カ既ニ時効ノ完成ト共ニ消滅シタル事実ヲ主張スル訴訟上ノ防禦方法ニ過キス而シテ債務者カ判決ニ因リテ確定シタル請求ノ消滅ヲ理由トシテ民事訴訟法第五百四十五条ノ規定ニ依リ異議ノ訴ヲ為スニハ其ノ消滅ノ原因タル事実カ当該判決ノ口頭弁論終結後ニ生シタルコトヲ要件トスルカ故ニ今若シ時効カ其ノ消滅原因ナルトキハ右口頭弁論終結後ニ当該時効ノ完成シタルコトヲ要件トスヘク従テ其ノ終結前ニ時効ハ完成シ終結後ニ之ヲ援用シタルコトヲ理由トスルカ如キハ素ヨリ右口頭弁論終結後ニ異議ノ原因ヲ生シタル場合ニ該当セス本訴ニ於テ上告人ハ曩ニ判決ニ因リテ確定シタル請求ニ関シ時効ニ因ル消滅ヲ異議ノ原因トスルモノナルモ其ノ時効ハ当該請求ニ関スル第二審ノ口頭弁論終結前ニ完成シ唯其ノ終結後ニ之ヲ援用シタリト云フニ在レハ原審カ論旨摘録ノ如ク説明シテ其ノ異議ヲ理由ナキ旨判示シタルハ結局正当ニシテ論旨ハ理由ナシ」（大判昭九・一〇・三新聞三七五・一〇、大判昭一四・三・二九民集一八・三七〇は給付請求権を目的とする訴で敗訴の確定判決を受けた債務者は、その後に該債権の譲受人との間の訴訟においても、その債権が前訴の口頭弁論終結以前に時効によつて消滅したことを主張することはできないとしている）。

このような判決があるにしろ【10】【11】が判例の原則的な態度と見るべきであろう。

これに対し否定的に解すべきであるという見解も有力である。柚木教授は「時効は久しく続いた社会秩序を尊重するという制度なのであるから、苟も確定判決によつて新しい秩序が宣言せられた後に再びこれを覆えすが如き時効の援用を許すべきでない」とされ、我妻教授は「かような結果を認めることは、時効制度の趣旨を逸脱するものであつて、むしろ裁判上権利の存在が確認されるまでに援用しなければ、援用する権利を失うものと解するのが正当であろうと思われる。この問題は、援用をもつて訴訟上の防禦方法とみるかどうかによつて決せられるものではない。更に時効制度の本質にまで遡つて考うべきである」とされている。訴訟法説によつても以上の批判と結論を同じくする（山中・前掲論文六頁）。

三　援用すべき事実

判例は、時効の援用には時効援用の基本とすべき事実については主張しなければならぬが、時効期間を明示する必要はないとしている。

【13】「当事者カ時効ヲ援用スルニ当リ其十年ノ時効ナルヤ将二十年ノ時効ナルヤ特ニ之ヲ明示スル要ナキコトハ固ヨリ論ヲ竢タスト雖モ時効援用ノ基本トスヘキ事実ニ付テハ当事者ノ主張アルヲ要スルコトモ亦多言ヲ竢タス」（大判明四五・五・二三民録一八・五一五）。

【14】「凡ソ時効ノ援用トハ援用者カ時効完成ニ因ル利益ヲ享受セントスル表示ニ外ナラサルヲ以テ消滅時効ヲ援用スルニハ時効ニ因リ消滅ニ帰スヘキ当該権利ノ性質発生原因権利ヲ行使シ得ヘキ時期等援用ノ基準トスヘキ事実ヲ主張スルヲ要シ且之ヲ以テ足リ敢テ必シモ其ノ時効期間ノ如キハ明示スルノ要ナキモノト解スルヲ妥当トス蓋シ時効期間ニ関スル主張ノ如キハ単ニ援用者ノ法律上ノ見解ニ過キサルヲ以テ裁判所ハ之ニ拘束セラルヘキモノニ非サレハナリ然シ而シテ原審弁論ノ結果ニ徴スレハ被上告人等ハ原審ニ於テ本件百合種子売買当時其ノ売主タル某ハ営利ノ目的ヲ以テ継続シテ他ヨリ右百合種子ヲ買入レ其ノ実行行為トシテ之ヲ被上告人等ニ売却シタルモノナルヲ以テ右某ハ商法第二百六十三条第一号所定ノ商行為ヲ業トスル商人ト云フヘク従テ本件売却代金債権ハ民法第百七十三条第一号所定ノ二年ノ時効ニ因リ消滅ニ帰シタル旨主張セルコト明白ナルトコロ原審ハ各証拠ヲ判断ノ上同人ハ被上告人等主張ノ如キ商人ニ非サルモ前叙

ノ如ク商法第二百六十三条第一号所定ノ商行為ヲ為シタルモノナルヲ以テ該行為ヨリ生シタル本件売却代金債権ハ五年ノ時効ニ依リ消滅シタルモノナル旨認定シタルモノニシテ何等所論ノ如ク被上告人等ノ主張セサル事実ニ付判断シタル違法ナシ」(大判昭一四・一二・一二民集一八・一五〇五、判民九四事件川島、同旨大判昭一八・九・四、法学一三・三九〇)。

また、判例は、短期時効を援用しうる者がこれを援用しないで、長期時効を援用するのは妨げないとしている。

【15】「時効制度ハ時効ニ依リ利益ヲ受クヘキ者ノ保護ヲ目的トスルモノナレハ其者カ既ニ完成シタル時効ノ利益ヲ拋棄スルヤ否又ハ之ヲ援用スルヤ否ハ孰レモ其任意ニ属スルモノトナス法律ノ精神ニ鑑ミレハ短期時効ヲ援用シ得ル者カ之ヲ援用セスシテ長期時効ヲ援用スルコトハ之ヲ許容スヘキモノト解スルヲ相当トス是レ蓋シ当事者カ任意ニ法定ノ時効期間ヲ延長シ又ハ時効ノ起算日ヲ変更スルモノニアラサレハナリ」(大判昭一五・一二・二〇新聞四六四六・二〇)。

四　援用の撤回

時効の援用は撤回することができるであろうか。判例は「時効ノ援用ハ訴訟上ノ防禦方法タルニ過キサレハ之ヲ援用スルト否トハ時効ノ利益ヲ受クル当事者ノ任意ニ取捨シ得ヘキ所ニシテ債務者ハ一旦之ヲ援用スルモ何時ニテモ任意ニ之ヲ撤回シ得ヘキヲ以テ……」(【2】と同一判決)としている。援用を訴訟上の防禦方法と見る説がこれに賛していることは当然である(於保教授はかゝる説でないが撤回をみとめておられる＝前掲論文三二二頁)。訴訟法説によれば、いったん提出した証拠方法を任意に撤回しうるかという訴訟法上の問題と関連することになる(舟橋・総則一七七頁)。

しかし、判例は昭和一〇年に(【3】の判決)「一旦其ノ援用アリタル時ハ茲ニ時効ニヨル権利ノ取得ハ確定不動ノモノトナル」としているのであるが、その理論の趣くところ援用の撤回を認めないということになるのであるまいか。たゞし、この判決は異例の判決であることを注意しなければならない。なお、援用は時効の効力を確定させるものだという説――不確定効果説――に立てば、援用の撤回を認め得ぬということは当然の帰結である（我妻・総則三四八頁）。

四　援用の効果

援用の効果は相対的であると解するのが判例の立場であり、通説である（我妻・総則三四八頁、柚木・判例総論下三六〇頁、舟橋・総則一七七頁）。数人の援用権者のうち一部の者の援用・不援用は、他に影響を及ばさないと解することになる（援用した者が、援用した権利についてのみ時効の効果を受けることになる）。その理由は、時効の結果を受けるかどうかは、各当事者が独立にその意思によって決すべきものとすることが、時効制度の趣旨に適するからであるとされている（我妻・総則三四八頁）。これについての判決を左にかゝげる。

【16】「原審ニ於テ上告人ハ被上告人ノ請求中明治三十六年十一月六日ニ於テ元金二百十六円五十九銭五厘ノ残存セルコトヲ認メ之ニ対シテ消滅時効ヲ援用シタルモ同元金ニ対スル明治三十七年三月一日ヨリ明治三十九年九月三十日迄ノ約定利息金八十一円十二銭七厘ノ被上告人請求ニ対シ独立ノ消滅時効ヲ援用シタルモノニ非サルコトハ原判決ニ引用セル第一審判決ノ事実摘示ニ依リテ明白ナルヲ以テ原審カ此点ニ関シ特ニ消滅時効ヲ適用セサルハ相当ナリ」（大判大六・八・二二民録二三・一二九三）。

【17】「民法第百四十五条ニ所謂当事者トハ時効ノ完成ニ依リ利益ヲ受クヘキ者ヲ指称スルコトハ夙ニ当院ノ判例トシテ示ス所ニシテ当事者ノ数人アル場合ニ於テ其一人若クハ数人カ各自独立シテ時効ヲ援用スル

コトヲ得ヘキヤ否ヤニ関シ一般ニ規定スル所ナシト雖モ其援用方法ニ付何等之ヲ制限スル規定ノ存セサルト又我民法カ当事者ノ援用ヲ竢ツテ始メテ時効ニ依リ裁判ヲ為シ得ヘキ制度ヲ採用シタル精神ニ鑑ミルトキハ如上ノ場合ニ於テ各当事者ハ各自独立シテ時効ヲ援用スルコトヲ得ルト同時ニ裁判所ハ其援用シタル当事者ノ直接ニ受クヘキ利益ノ存スル部分ニ限リ時効ニ因リ裁判スルコトヲ得ヘク援用ナキ他ノ当事者ニ関スル部分ニ及ホスコトヲ得サルモノナリト解スルヲ妥当トス本件ニ付被上告人ハ原審ニ於テ其先代某ノ本件係争不動産ニ関スル取得時効ヲ援用シタリト雖モ同人ハ某カ時効ニ依リ取得シタル本件係争不動産ノ所有権ヲ上告人ト共ニ某ノ遺産相続人トシテ各其二分ノ一ノ権利ヲ承継シタリト謂フニ在レハ被上告人ノ援用シタル部分ハ其二分ノ一ニ止マルヘキハ勿論裁判所モ亦其部分ニ限リテ援用ノ当否ヲ判断セサルカラサルニ拘ハラス原審ハ其援用ヲ以テ其全部ニ及フモノナリト解シ因テ上告人ニ不利益ノ判断ヲ為シタルハ即チ時効ノ援用ニ関スル法規ノ解釈ヲ誤ル失当アリ」（大判大八・六・二四民録二五・一〇九五）。

* * *

以上時効の援用についての諸々の問題についての判例の立場・学説を述べてきた。次に、時効の援用の裏にあたる、時効利益の放棄についての諸々の問題について述べよう。

五　時効完成前の時効利益の放棄

一　時効利益の放棄というのは、時効による利益——時効によつて権利を取得し又は義務を免れるという利益——を受けないという意思表示をすることである。これを法律的にどう解するかは、どういう立場をとるかによつて異つてくるであろう。それについては完成後の利益の放棄のところで述べることにして、ここでは、完成前の利益放棄について総括的に述べる。

二　民法は第一四六条で、時効が完成する前に予め時効の利益を放棄することは許されないとしている。確定効果説・不確定効果説によれば時効の制度は、社会秩序又は法的安定の維持という主たる目的のために、永続した事実状態に権利の得喪を与えている制度であるとしていることは既に述べたとおりである。それとともに、時効の援用という制度を設け、時効による利益を受けるか否かを当事者の意思にかゝらせている（この点の説明では確定効果説より不確定効果説の方が合理的であり、不確定効果説のうちでも停止条件説がより合理的であると考えられることについては既に述べた）。従つて、時効による利益を時効完成前に予め放棄することを認めることは制度の中の矛盾を認めることになつて許されないとしているのである。また、その根拠は、予め時効の利益の放棄を許せば、永続した事実状態を尊重しようとする社会的な時効の制度の目的が、個人の意思によつて予め排斥されることになるだけでなく、債権者が、債務者の窮状に乗じて予め消滅時効の利益を放棄させては、甚しい不都合を生ずるからであるとされている（我妻・総則三四八頁）。また、訴訟法説によれば、予め、将来時効が完成しても時効という証拠を援用しないという証拠契約をすることがゆるされないことは当然だし、また、将来時効が完成するかもしれないという事態にそなえて、予め時効という証拠のしめすところと異なり、自分は権利者でないこと、または義務者であることに間違いないことを、いま予めここに自認しておくということが時効制度を無意義ならしめるものであることはいうまでもないとされている（山中・総則講義三三三頁、訴訟法説によるとき時効利益の放棄についての説明はすつきりしないようである。そのことについては後で述べる。なお、川島・序説七四頁によれば、時効は時の経過によつて裁判所による事実確認が困難になるということにもとづく司法制度上の問題であつて、公益に関係し、私人の意思によつて、不可能もしくは著しく困難な裁判を裁判所に強制することは許さるべきではないからであるとされている）。

右に述べたと同じ趣旨――（我妻・前掲の根拠）――から、時効の完成を困難にする特約（時効期間の延長、中断・停止の排斥など）は一般に無効であると解されている（ドイツ民法二二五条参照）。

六　時効完成後の利益の放棄―総説

一　時効の完成した後にその利益を放棄することは、第一四六条の反対解釈として有効であるとされている。なぜならば、前述したように時効の制度は社会的制度であると同時に、当事者の意思（当事者の徳義心）をも尊重した制度である点に鑑み、かつ、完成後の放棄を許しても、完成前の放棄のような弊害を伴わないからであるとされている。そのような理解のもとでは、⑴時効期間の進行中の時効利益の放棄は、既に経過した期間の放棄としてだけ有効と見られるし⑵時効期間を短縮し、その他、時効の完成を容易ならしめる特約は、妨げないと解されている（ドイツ民法二二五条参照。スイス債務法一二九条は短縮を許さないと解されている）。

二　訴訟法説によれば理論的には完成後の時効利益の放棄は認め得ないということになる。なぜならば、「時効制度を訴訟法上の規範として把握する事によつて、時効制度は客観性を有するに至り、強行性を発揮するのである。当事者の意思によつてその効果を左右する事を得ず」と解されているからである（吾妻・前掲論文二一三頁、山中・前掲論文六頁）。従って、それを認めるにしても、やむを得ないこととして消極的な態度をとらざるを得なくなる。

七　完成後の放棄の方法

一　総　論

㈠ 時効利益の放棄は、時効の効力を消滅せしめる意思表示であり、相手方の同意を必要としない単独行為であると判例はいつている。

【18】「時効利益ノ拋棄ハ債務者一方ノ意思表示ノミニテ効力ヲ生シ債権者ノ同意ヲ要セサレハ苟モ債務者カ時効ヲ拋棄シタル以上ハ債権ハ存在スルコトトナルカ故ニ有効ノ弁済アリ得ヘキハ当然ノ理ナリ」（大判大八・七・四民録二五・一二一五）。

【19】「時効ノ拋棄ハ完成シタル時効ノ効力ヲ消滅セシムルノ意思表示ナリ」（大判大三・四・二五民録二〇・三四二、同旨大判大四・三・一一民録二一・三〇七、大判大六・二・一九民録二三・三一一、大判大一〇・二・七民録二七・二三三）。

㈡ 判例が、時効の利益の放棄を、完成した時効の効力を消滅せしめる意思表示であると解していることは既に述べたとおりであるが、それに対して次のような批判がなされている。時効によつて権利の得喪が確定的に生ずるという判例の前提からすれば、放棄をもつて一種の贈与（あるいは債務負担の意思表示）と解さねばならぬことになるのではないか。もし、そう解すべきものならば甚だ不当な結果（たとえば、担保権消滅等の効果をどうすべきかというようなこと）になるのでないかということである（我妻・総則三四九頁、時効利益の放棄を贈与とみている学説としては、平沼・総論六九六頁、三潴・提要五五三頁がある）。

＊ 確定効果説は時効利益の放棄の性質について、特に明にしているとは思われない。利益を受ける者が時効の効力を消滅させる意思表示であるといつてみたところで、そのまゝ時効の完成によつて権利を失つた者（取得時効）がそれによつて権利を得るということにはならないと考えるのがすなおであつて、それを合理的に説明するならばどうしても贈与か債務負担の意思表示の概念をもつてくるほかないであろう。

その点、不確定効果説によれば、時効の利益の放棄は、時効の効力を発生しないことに確定させる意思表示だということになる（我妻・総則三四九頁、穂積総論四六二頁、鳩山・総論五九八頁、時効の援用、時効利益の放棄を説明するのにこの説とくに停止条件説が合理的があることは繰り返し述べた）。また、訴訟法説のとくところによれば、時効の利益の放棄ということにぴったり該当することを見出すことは困難であり、強いていえば、時効完成後になす時効という証拠を提出しないという契約や取得時効という証拠があるにもかゝわらず自己が無権利者であったことを自認し、または消滅時効という証拠があるにもかゝわらず自己が義務をおうていることを自認する行為などがこれにあたるということになろう（山中・総則講義三三二頁、同じ訴訟法説をとっておられる舟橋教授は、時効利益の放棄を時効利益を受けない旨の意思表示を要素とする単独行為であるとしておられるが＝舟橋・総則一七七頁、訴訟法説をとる以上、かゝる見解は不合理ではないかと思われる）。

* 抗弁権説をとっておられる川島教授によれば、時効利益の放棄は、時効抗弁権の放棄を意味し、請求の認諾の性質を有するものであるとされている（川島・序説七五頁）。

㈢　さて、この意思表示であるが、判例は、相手方に対してすることを要し、かつ相手方の同意を必要としないとしている。ところで、銀行預金の債権について、債務者たる銀行が銀行内の帳簿に預金の利子を元金に組入れた旨を記入したという事案で、左のような判決をしている。

【20】「債権ニ付キ時効中断ノ効力ヲ生スヘキ承認又ハ既ニ完成シタル時効ノ利益ノ放棄ハ何レモ債務者ヨリ債権者ニ対シテ為ス意思表示ナルコト毫モ疑ヲ容レス従テ本件ノ如キ銀行預金ノ債権ニ付テモ債務者タル銀行者カ如上ノ承認又ハ放棄ヲ為シタルモノトスルニハ其承認又ハ放棄ノ意思ヲ債権者タル預金者ニ対シテ表示シタル事実アルコトヲ要シ単ニ銀行者カ其銀行内ノ帳簿ニ預金ノ利子ヲ元金ニ組入レタル旨ヲ記入シタルノ一事ハ未タ以テ預金者ニ対シ承認又ハ放棄ノ意思ヲ明示若クハ黙示シタルモノト為スニ足ラス」

（大判大五・一〇・一三民録二二・一八八六）。

㈣　時効利益の放棄が裁判外でなしうるかという問題については判例は「時効ノ拋棄ハ裁判外ニ於テモ之ヲ為スコトヲ得ヘク其拋棄ノ有無ニ付当事者間ニ争ヲ生シタルトキハ裁判所ハ事実問題トシテ之ヲ判断スヘキモノトス」としている（大判大九・一一・九民録二六・一六五四、同旨大判大八・七・四民録二五・一二一五）。

㈤　判例が、時効利益の放棄を完成した時効の効力を消滅させる意思表示であるとしていることは既に述べたが、その当然の帰結として、時効の完成を知ってしなければならないということになるであろう。この点は、不確定効果説をとる者も、原則として意見を同じくするところであろうと考えられる。けだし、放棄すべき事物のあることを知らないで、その事物を放棄する意思はあり得ないからである。

【21】「時効ノ拋棄ハ完成シタル時効ノ効力ヲ消滅セシムルノ意思表示ナレハ完成シタル時効ノ存在ヲ知ルニアラサレハ之ヲ為シ得ヘキモノニアラス時効拋棄ノ意思表示ハ債務ノ承認支払ノ約束等ノ行為ニ因リ之ヲ為シ得ヘシト雖モ斯ル場合ニ於テモ其債務ノ承認支払ノ約束等ノ行為カ完成シタル時効ノ存在ヲ知リテ為サレタルトキニ限リ時効拋棄ノ意思表示アリト為シ得ベシ」（大判大三・四・二五民録二〇・三四二、同旨大判大四・三・一一民録二一・三〇七、大判大六・二・一九民録二三・三一一、大判大八・五・一九民録二五・八七五、大判大一〇・二・七民録二七・三三三、大判昭六・一〇・二新聞三三二二・八）。

【22】「拋棄スヘキ事物アルコトヲ知ラサルモノニ其事物ヲ拋棄スル意思ノ有リ得ヘキニ非サルカ故ニ時効完成ノ事実ヲ知ラサル債務者カ債務ヲ承認シタル場合ニ於テハ其承認ヲ以テ時効ノ利益ヲ拋棄スル暗黙ノ意思表示ナリト為ス可ラサルコト多言ヲ竢タス」（大判大六・三・一二民録二三・三六〇）。

二　黙示の放棄――時効完成の事実の知・不知についての問題

㈠　時効完成後の債務の承認、あるいは弁済・延期証の差入などが時効利益の放棄となるかどうかについては以前から争いがあつた。そしてそれが時効完成の事実の認識とどのように関連させて理解するかは問題の存するところである。

㈡　判例は、放棄すべき事物のあることを知らない者に、その事物を放棄する意思はあり得ないから、時効利益の放棄は、完成した時効の存在を知つてしなければならないとしていることは既に述べたとおりである。しかも「時効完成ノ事実ヲ知ルト為スカ為ニハ時効期間ノ経過ヲ知ルノミナラス更ニ法律ノ定ムル時効期間ヲモ知ルコトヲ必要トスル」というのが判例の態度である（大判昭八・三・一六新聞三五四三・九、同旨大判大八・五・一九民録二五・八七五）。左に示す事案についての判例は何れも右の事実を知らなかつたということで放棄でないとされたものである。

【23】　消滅時効の完成した後で売主よりの代金の支払方を督促されたのに対して代金の滞りのあることを承認した事案について――「時効ノ拋棄ハ完成シタル時効ノ効力ヲ消滅セシムル意思ノ表示ナレハ完成シタル時効ノ存在ヲ知ルニアラサレハ為シ得ヘキモノニ非ス故ニ債務者カ時効ノ完成シタルコトヲ知リテ債務ヲ承認シタル場合ハ其承認ヲ以テ時効拋棄ノ意思表示ナリト為スヲ得ヘキモ時効完成ノ事実ヲ知ラスシテ為シタル承認ヲ以テ時効拋棄ノ意思表示ナリト為スヲ得ス」（大判大四・三・一一民録二一・三〇七）。

【24】　消滅時効完成後に執達吏が執行に来たのに対して債務を認め五十円を内金として渡した事案について―「時効ノ利益ノ拋棄ハ既ニ時効ノ完成シタル事実ヲ知ルニ非サレハ之ヲ為スコトヲ得サルモノニシテ時効ノ完成シタル事実ヲ知ルニハ単ニ債務発生ノ時又ハ其弁済期ヨリ一定ノ年月ヲ経過シタルコトヲ識ルヲ以テ足レリトスヘカラス必此一定ノ年月日ノ経過ニ因リ時効期間満了シタルコトヲ識ルコトヲ要ス而シテ一定

ノ年月ヲ経過スレハ時効完成スルコトハ一応債務者ニ於テ之ヲ知レルモノト推定スヘキモノナレトモ原裁判所ハ証人末永太一ノ証言ハ之カ反証トナルヘキモノト認メ被上告人貞百合ハ時効ノ完成シタルコトヲ知ラサリシヲ以テ時効ノ利益ヲ拋棄シタルニアラスト判断シタルハ相当ナリ」（大判大八・五・一八民録二五・八七五）。

【25】　甲合名会社は社員乙に貸金債権を有していた。甲会社が解散して乙の相続人丙に請求したところ（貸金債権については時効完成していた）、乙は債務の存在を承認し、かつ社員としての出資金との相殺の抗弁を提出したという事案について――「完成シタル時効ノ拋棄ハ完成シタル時効ノ法律上ノ効果ヲ消滅セシムル意思表示ナレハ時効カ既ニ完成シタルコト及ビ其完成セル事実ヲ知リテ之ヲ為スニアラサレハ完成シタル時効ノ利益ヲ拋棄スル意思アリト謂フヲ得サルヲ以テ仮令時効ノ完成後債務ノ存在ヲ承認シ且ツ相殺ノ抗弁ヲ提出シタル場合ト雖モ時効ノ完成セル事実ヲ知ラサルコトノ明瞭ナル場合ニハ未タ之ヲ以テ完成シタル時効ノ利益ヲ拋棄シタルモノト謂フヲ得ス」（大判大一〇・二・七民録二七・二二三、判民一四事件我妻）。

【26】　消滅時効の完成した手形金に利息を附して支払うという特約をした事案について――（【21】の判決と同じである）

次の判例は右に述べた判例の原則を直接に述べているのではないが暗に示しているものである。

【27】　上告人は被上告人から四万円借り所有不動産に抵当権を設定しているのだが、債権が時効によって消滅したことを理由として抵当権の登記抹消を訴求した。弁済期以後本訴までの間に三箇の事件があつた。(1)上告人より被上告人に対し「債権不存在確認訴訟」を提起して三審ともに敗訴した(2)被上告人は上告人に対して弁済期後四箇月分の利息につき強制執行を為し配当を受けた(3)上告人より被上告人に対し消費貸借不成立を訴求し、第一審で上告人敗訴し、上訴しない。而してこの訴訟中に時効完成しても上告人はこれを援用しなかつた。

「上告人カ前ニ被上告人ノ提起シタル本件債権不存在ノ確認訴訟ニ於テ時効ヲ援用セスシテ敗訴シナカラ

上訴ヲモ為サスシテ判決ヲ確定スルニ至ラシメタルハ提出シ得ヘカリシ防禦方法ヲ提出セサリシニ過キスシテ之ヲ以テ明示的ニ本件債務ヲ承認シ若ハ拋棄シタルモノト謂フヘカラサルハ勿論暗黙ニモ承認若ハ拋棄ヲ為シタルモノト謂フ可カラス何トナレハ上告人ノ前訴訟ニ於テ時効ヲ援用セサリシハ時効ノ完成ニ心付カサリシニ由レルヤモ知ルヘカラスシテ必スシモ債務ヲ承認シ若ハ時効ノ利益ヲ拋棄シタルニ由ルモノト限ラサレハナリ」（大判大一一・四・一四民集一・一八七判民三〇事件我妻）。

㈢　時効の放棄については、時効完成の事実を知つてしなければならぬというのが判例の態度であることは既に述べたとおりである。ところで、判例は、他方において当事者は時効完成の事実を知つているものと推定している（時効完成後の弁済又は承認は、時効の完成を知つてしたものと推定している）。従つて知らずして弁済又は承認をなしたという事実の立証を、改めて時効を援用しようとする当事者に課している。

【28】　消滅時効完成後に債務を承認して、支払うべき旨を言明した事案について――「然レトモ凡ソ債務者カ時効ノ已ニ完成セル債務ヲ承認セルトキハ其ノ承認ハ反証ナキ限リ時効完成ノ事実ヲ知リテ之ヲ為シタルモノニシテ且ツ時効ノ利益ヲ暗黙ニ拋棄シタルモノト推定スルヲ相当トスルト同時ニ記録ニ徴スレハ本件ハ所論ノ如ク上告人カ係争債務ニ付時効完成ノ事実ヲ知ラサリシコト明瞭ナルニアラスシテ原判示ノ如ク上告人カ其ノ事実ヲ知ラサリシト認ムヘキ反証ナキコト疑ナキ場合ナルカ故ニ上告人カ被上告人ニ対シ係争債務ニ付時効完成後其ノ支払ヲ為スヘキ旨言明セル事実アルコト原判決認定ノ如クナル以上上告人ハ時効完成ノ事実ヲ知リテ該債務ヲ承認シ時効ノ利益ヲ暗黙ニ拋棄シタルモノト推定セラルヘシ」（大判昭六・四・一四新聞三二六四・一〇）。

【29】　商行為によつて生じた債権の消滅時効完成した後に、弁済を求められたところ其の債務を承認し弁済の猶予を乞うたという事案について――「商行為ニ因ル債権カ五年ノ時効ニ因リテ消滅スヘキコトハ一般

ニ周知ノモノト認ムヘキニ異ナラサルカ故ニ商人タリシ上告人ニシテ商行為ニ因リテ生シタル本件債権カ五年、時効完成ニ因リテ消滅シタル後其ノ債務ヲ承認シタルハ即チ該債権カ如上消滅セルコトヲ知悉ノ上之ヲ為シタルモノナリト推断スヘキハ当然ナリ」（大判昭一〇・一二・二八新聞三九四一・八）。

右に述べた判例のほかに債務の承認があつた場合について時効完成の事実を知つて承認したとされたものに、大判昭・八・六・二九新聞三五八一・七・大判昭一三、七・三〇新聞四三二九・一三、大判昭一三・一一・一〇民集一七・二一〇二、がある。

【30】 消滅時効完成後に一部弁済をした事案について――「普通債権カ十年ノ時効ニ因リテ消滅スルコトハ一般周知ノモノト認ムヘキモノナレハ右期間ヲ経過シタル後ニ至リ債務ノ承認ヲ為シタルトキハ時効完成ノ事実ヲ知リテ其ノ承認ヲ為シタルモノト相当トスルコトハ当院ノ判例トスル所ナリ然ルニ本件ニ於テ（中略）本件債権カ十年ノ時効ニ因リ消滅シタル以後債務者タル上告人カ被上告人ニ対シ右債務ノ一部弁済トシテ昭和九年五月一八日金一円十銭翌十年十二月中金五円ヲ各支払ヒテ右債務ヲ承認シタル事実ヲ認メ得ルカ故ニ冒頭説示ノ理由ニ依リ上告人ハ該時効ノ利益ヲ抛棄シタルモノト推定スヘキモノトス」（大判昭一二・一〇・一九新聞四二〇二・一〇）。

【31】 消滅時効完成後、月賦弁済の特約をなした事案について――「時効ノ抛棄ハ完成シタル時効ノ効力ヲ消滅セシムル意思ノ表示ナレハ既ニ時効ノ完成シタル事実ヲ知ルニ非サレハ其抛棄ノ無効ナルハ勿論ナリト雖モ普通債権カ十年ノ時効ニ因リテ消滅スヘキコトハ一般周知ノモノト認ムヘキモノナルカ故ニ右期間ヲ経過シタル後ニ至リ債務者カ債務ノ承認ヲ為シタルトキハ時効完成ノ事実ヲ知リテ其承認ヲ為シタルモノト一応推定スルヲ妥当ナリトス原判決ハ債務者タル上告人カ時効完成後ナル大正四年三月十八日ニ至リ債権者ナル被上告人ニ対シ（中略）本件預金ニ付キ同月以後毎月末金三円ツツ返還スヘキ特約ヲ締結シタルハ上記

推定ノ如ク時効完成ノ事実ヲ認識シ時効ノ利益ヲ抛棄シタルモノト認定シタルモノニシテ毫モ不法ニ非ズ」（大判大六・二・一九民録二三・三一一）。

【32】　消滅時効完成後に債権者に対して延期証書を差入れたという事案について——「時効ニ関スル法律ノ規定ハ一般ニ之ヲ了知スルモノト推定スヘク而シテ債務者ニ対シ延期証ヲ差入ルル場合ノ如キハ固ヨリ其債務ノ弁済期ヲ経過シタルコトヲ知リテ為スモノナレハ反証ナキ限リハ被上告人カ本件ノ延期証ヲ差入ルル場合ニ於テ時効完成ノ事実ヲ知リタルモノト認ムルヲ相当トスル」（大判大六・四・二六民録二三・六七二）。

右の判決と同趣旨のものとして大判昭二・六・八新聞二七三一・一四がある。

【33】　債権者はその代理人として債務者に対して貸金を請求させた。債権の消滅時効は完成して居るのだが債務者はこれを知らずに「延び延びになり申訳なきが是非延期して呉れ」といったという事案について——「原裁判所ハ証人某ノ証言ニ依リテ被上告人ガ時効完成後其完成ニ依リテ受クベキ利益ヲ抛棄シタル事実ヲ認定シタルモノニシテ証人某ハ大正七年五月上告人ノ代理人トシテ被上告人ニ対シ貸金ノ請求ヲ為シタルニ被上告人ハ延ビ延ビニナリ申訳ナキガ是非延期シテ呉レト云ヒタリト証言シ而シテ債務者ガ時効完成後債務履行ノ延期ヲ求メタル場合ニ於テハ反証ナキ限リ時効完成ノ事実ヲ知リテ債務ヲ承認シタルモノト認ムベキコト当院ノ判例トスル所ナレバ原裁判所ガ右ノ証言ニ依リ被上告人ガ時効ノ利益ヲ抛棄シタル事実ヲ認定シタルハ不法ニアラズ」（大判大一〇・二・一四民録二七・二八五判民一五事件末弘）。

消滅時効完成の後において弁済の延期を求めたという右と同じような事案で、同じような判決として下記のものがある。大判昭一三・二・一二・新聞四二三七・一六、大判昭一五・一一・五判決全集八・二・七、大判昭一七・五・六法学一二・一三二。

【34】　主たる債務について時効が完成した後で、保証人が自己の保証債務について和解をしたという事案

について――「当事者カ消滅時効ノ完成ヲ知リナカラ該債権ノ存在ヲ前提トスル行為ヲ為シタルトキハ時効利益ノ抛棄ヲ為シタルモノト推定スルヲ相当トスヘク而カモ債権カ十年ノ時効ニ因リ消滅スヘキコトハ一般周知ノモノナルト共ニ主債務ニ付完成シタル消滅時効ハ反証ナキ限リ保証人モ亦之ヲ知悉セルモノト解スヘキヲ以テ本件ニ於テ主債務者某カ債権者タル被上告人ヨリ本訴債権ニ付最後ノ請求ヲ受ケタル昭和二年十月以後十年以上ヲ経過シ主債務カ時効ノ完成ニ因リ消滅シタリトスルモ其ノ後昭和十三年六月二十九日上告人カ自己ノ保証債務ニ付キ和解ヲ為シタルトキハ主債務ニ付キ時効完成セル事実ヲ知リナガラ該時効ヲ援用セスシテ其ノ利益ヲ抛棄シタルモノト推定スルヲ相当スル」（大判昭一七・一一・三新聞四八一九・八）。

右に述べた【28】―【34】の判例は直接・間接に挙証責任についてふれているのでそるが、それについて左記の判例を附加しておこう。

【35】「一定ノ年月日ヲ経過スレハ消滅時効完成スルコトハ一応債務者ニ於テ之ヲ知レルモノト推定スヘキモノナルヲ以テ債務者カ一定ノ年月日ヲ経過シ消滅時効完成シタル後ニ於テ債務ノ承認ヲ為シタルトキハ一応時効ノ完成シタルコトヲ知ラサリシト主張スル債務者ハ之カ立証ノ責ニ任スヘキモノトス」（大判昭三・四・一六新聞二八七一・一四）。

以上述べた【28】―【35】に述べた判例のほかに、時効利益の放棄について問題になった事案を左にかゝげる。

◇放棄でないとされた判例

【36】消滅時効完成後に執達吏代理が仮差押に来たのに対して債務を承認した事案（大判昭一一・二・一四判決全集三・三・六）【37】消滅時効完成後に債務者からあらかじめ差し出させた延期証書に、訴提起後あわてゝ日付等を記入した事案（大判昭七・三・三〇裁判例（大）民九一）【38】消滅時効完成後に、減額懇請をした事案――この事案において「対抗事由ヲ留保シテ以テ債務ノ減額ヲ懇請スルコトノ如キハ決シテ稀有ナル事例ニ非ス」としている（大判昭六・一二・三民集一〇・一一五九）。

【39】　消滅時効完成後に減額して全部解決するように債務者から債権者に交渉した事案――この事案について「（このような場合）ハ債務ノ存在ニ付争アル為メ債務者ヨリ和解ノ申込ヲ為シタルモノト認メ得ヘク又債務ノ存在ヲ認ムルモ金一円ヲ弁済スルコトヲ条件トシテ残額ノ免除ヲ求ムルモノトモ認メ得ヘク……」としている（大判昭一〇・一・一九裁判例九（民）五）　【40】　消滅時効完成後に減額を請求した事案について――この事案について「（このような請求するのが）和解協定ノ際ニ於ケル和解条項ノ申出ニ類スルモノ（ならば時効利益の放棄にならない）」としている（大判昭一四・二・二一民集一八・一二三判民一〇事件四宮、民商一〇・一杉之原）　【41】　強制執行に着手した債権者に円満解決または示談したい旨を申し出たという事案（大判昭一七・三・一四新聞四七六六・一六）　【42】　消滅時効の完成した債権の利息に対する強制執行をしてその配当について異議を述べなかった事案（【27】の判決と同一である）　【43】　消滅時効完成後に差押および転付命令の送達を受けて異議の申立をしなかった事案（大判昭一七・六・二三法学一一・二四三）　【44】　第一審において時効を援用しなかった事案（【7】と【27】の判決がそうである）

以上述べた判例は、利益の放棄でないとされた判例であるが「時効完成の事実を知っているとはいわれないから」ということを正面には出していないが、それが背景をなしていることは申すまでもない。

◇放棄であるとされた判例　消滅時効完成後の債務の単なる承認をした事案（大判明四四・一〇・一〇民録一七・五五二、大判大九・一一・九民録二六・一六五四、大判昭六・四・一四、新聞三二六四・一〇）、【45】消滅時効完成後に一部弁済をした事案（大判大一二・四・二六新聞二一三六・一八）、【46】消滅時効完成後に月賦弁済方の申出をした事案（大判昭七・一二・一二新聞三四八七・一四二）、【47】　消滅時効完成後に支払延期証書を差し入れた事案（大判昭二・六・八新聞二七三一・一四）、【48】　消滅時効の完成した債務について支払の猶予を求めた事案（大判昭一五・一一・五判決全集八・二二・五）、【49】　消滅時効完成後に、示談によって元金の支払を決した事案（大判昭三・二・七大審報三九・上民四九三）、【50】　債権者の配当要求に何等異議を述べない事案（大判大一四・六・二〇新聞二四七〇・一〇）

以上の判例は放棄があったとされたものである。これらの判例は「時効完成の事実は知っているものと推定する」ということをはっきり正面に出していないが、それが背景にあることは言うまでもない。

(四) 以上、時効利益の放棄についての判例をみてきたが、そこからくみとれるものは、一貫しない態度である。たとえば、消滅時効が完成した後に、単なる債務の承認(【23】【28】の判決)や一部(全部)弁済(【24】【30】の判決)があった場合において、否定(【23】【24】の判決)肯定(【28】【30】の判決)の判決がある。即ち、前者は「完成シタル時効ノ存在」を知らなかったからというので否定され、後者は「一定ノ年月日ヲ経過スレハ消滅時効完成スルコトハ一応債務者ニ於テ之ヲ知レルモノト推定スベキ」ものであるということで肯定されたものである。同じような事案で、何故にこのように違う結果が生ずるかについては判例から知ることができない。即ち、その基準が明かにされていないのである。判例の態度が一貫せず、恣意的であるという批判も当然のことと考えられる。たゞ、判例全体をみた場合、時効の完成を知っているという推定を受け、知らなかったという挙証を認めないという傾向が強いようである。

三　判例に対する批判

(一) 判例の右のような態度に対して批判のあることは既に一言したが、ここではもっと詳細に述べよう。

(二) 放棄は、時効の完成を知ってしなければならないという判例の態度は是認されるであろう(柚木・判例総論下三六七頁)。しかし、時効完成後の債務の承認や弁済を放棄と断ずるに急ぐあまり、時効が完成したことは一般人において知っている――一般人が時効に関する法令の規定を知り、かつそれに定められた要件の充足された事実を了知している——べきだからとして、挙証責任の転換をしている。これは社会通念からいつて是認することはできない。時効に関する法令を殆んど知ることがないのが一般であり、履行の延期を申し出たり、一部弁済をしたりするのは、時効の完成を知らないでしたと見るのがむしろ妥当である。もし判例の立場を撤底させるならば、すべての場合に挙証が困難となり、放棄にならないことになるであろう。

四　黙示の放棄についての学説

(一)　このように判例が首尾一貫しないのは、債務者が時効完成を知らないで債権満足のために給付をなした場合について、ドイツ民法（二二二条）やスイス債務法（六三条II項）のような規定を欠くためである（これらの規定ではその返還の請求をできないとしている）。また、時効をめぐる学説の対立も、この点について如何に説明するかということに、最も多く起因しているといつていい。

(二)　さて、判例に最も近い立場をとつておられる柚木教授は、時効完成の事実は一般人において知つているものとの推定を前提としない挙証責任の転換の理論をとつておられる。即ち、債務者が時効完成後に債務を承認すると、債権者にとつては債務者が時効完成を知つてその利益を放棄したかの如き仮装（外観）を呈するから、この仮装を与えた債務者をして無条件にこれを翻えすことを許すべきではない。かかる場合に、債務者にその仮装が真実に反することを証明してこれを打壊すべき責任を課することが、信義誠実則上許される極限であるとされておられる（柚木・総論下三六九頁）。

(三)　停止条件説をとられる我妻教授は、時効の利益の放棄は、一種の意思表示であるから、放棄があつたかどうかは意思表示解釈の問題であるとされ、弁済をするか、延期証の差入れなどによつて弁済すべき意思を明かに示したときは、特に時効の利益を放棄するのではないという留保をしない限り——あえて時効の完成した事実を知らなくとも——これによつて放棄したことになり、改めて援用することはできなくなると解すべきである。その理由は、(1)当事者がすでに弁済をした場合はもちろん、その債務を弁済をしようとする意思を明かにした場合には、権利関係は、既に当事者間において明瞭となつたのであるから、後に更に時効の援用を認めてこれを覆えさせることは時効制度の趣旨を逸脱するものであり、(2)また、停止条件説をとれば、援用されない間は、ともかく債務は存在するのであるから、その弁済は効力を生じ、弁済すべき意思の表示は、債務の存在を確定的ならしめると見るのが妥当であるからだとされている（我妻・総則三五〇頁）。

(四)　訴訟法説をとられる山中氏によれば、時効完成後の弁済承認は、債務の客観的存在の明確化を実現する行為であり、その不明確を発動のための前提とする時効すなわち採証上の拘束の制度を、その時期までの事実状態については問題になりえなくする。右の弁済や承認が、訴訟上、債権関係の存在を明確にする証拠とならぬときは、ふたたび時効が問題とならねばならぬとしている（山中・前掲論文六頁）。

(五)　舟橋教授は、放棄と承認とは混同すべきものでないとされ、承認は時効中断事由の承認と異るところがないと主張されている。というのは、放棄は、性質上かならず時効完成を知つてなされることを要するも、承認はかならずしもこれを必要とせず、また、承認は債務の存在を承認する意思を必要とするも、放棄は債務の存在につき異議をとゞめつゝも、なお、これをなしうるものだからであるとされている。そして停止条件説をとる学者に対する批判としては時効の完成を知らないで、債務の承認、弁済がなされた限り、時効援用権消滅の根拠が明かにされていないから、後に時効を援用することによつて、すでになされた弁済または承認の効力をくつがえすことができるわけであるとされている（舟橋・総則一七八頁）

(六)　於保教授は、時効の援用及び時効利益の放棄は、当事者間の相対的関係において道義心に訴える余地を残したものであるから、すでに弁済又は承認をしてしまつてから後では、時効の完成を知らなかつたとしても、今更時効の利益を主張することは道義的には承認しえないとされている（於保・前掲論文三二四頁）

(七)　川島教授によれば、裁判上援用されないかぎり債務はまだ存在しているのであるから、弁済がなされればこれによつて有効に債務は消滅し、更改がなされれば更改は有効に成立し、また担保が設定されれば、担保は有効に成立する、したがつて、これらの既成の法律関係ないし権利に対しあとになつて時効を主張しこれをくつがえすことは、すでになされた有効な法律行為を撤回するにひとしい法律上の意味をもつ、そのゆえに、これらの場合には、あとになつて時効を援用することが許されないのである。しかし、弁済の延期を請うたような場合には、まだいかなる新な権利関係も発生していないのであるから、のちに訴訟となつたときに時効を援用することは妨げないと解すべきであるとされている（川島・序説七六頁）。

(八)　停止条件説を最も合理的であると考える私は、時効完成後に弁済がなされれば有効に債務は消滅し、更改がなされれば更改は有効に成立すると解し、単なる承認（弁済の延期の懇請等も含めて）の場合は、時効完成を知らなければ、時効の援用ができると解するのが論理的に一貫すると一応考える（結論的には川島教授の趣旨と同じ）。しかし、単なる承認について、時効中断の事由を認める我が国の民法は、将来受けるかもしれない時効の利益をそこで放棄したという効果を、承認に与えているものと解するのが妥当であるからそれとの関連において、（その趣旨に従って）時効完成後に単なる承認をした場合にも――時効完成を知る知らないにかゝわらず――時効利益の放棄をしたという効果を与えられると解するのが妥当ではあるまいか。

八　完成後の放棄の効果

一　消滅時効完成後に時効の利益を放棄したときは、「時効ハ進行セサリシト同一ノ結果ヲ生シ従テ債務ハ消滅セサリシモノトナルノ結果ヲ生スル」としているのは当然のことである（東控明四〇・一二・七新聞四八四・九）。

二　放棄することのできる者が多数ある場合に、一人の放棄は、他の者に影響を及ぼすかどうかについては、判例は、放棄の効果は相対的であるとしている。即ち、「拋棄者及ヒ其承継人以外ノ者ニ対シ其効力ヲ生スルモノト為スヲ得ス」としている（大判大五・一二・二五民録二二・二四九四）。援用の効果が相対的であるのと同じである。その理由は、(1)時効の援用・利益の放棄という制度を設けたのは、時効の効果を受けるかどうかは、各当事者が独立にその意思によつて決すべきものとした趣旨であり、(2)また、たとえば、主たる債務者に対する履行の請求其他時効の中断が保証人に対して其の効力を生ずるのは特別の規定があるためだが、然るに、主たる債務者がなした時効の利益の放棄については保証人に対しその効力を生ずる旨の規定がないから（大判六五・一二・二五前掲）であるとされている（我妻・総則三五一頁、同旨柚木・判例総論下三六三頁）。左にその代表的な判例を示す。

【51】「主タル債務者ニ対スル履行ノ請求其他時効ノ中断カ保証人ニ対シテモ其効力ヲ生スルハ特別ノ規

定アルカ為メナリ然ルニ主タル債務者カ為シタル時効ノ利益ノ拋棄ニ付テハ保証人ニ対シ其効力ヲ生スル旨ノ規定ナキノミナラス時効ノ利益ノ拋棄ハ畢竟抗弁権ヲ拋棄スルモノニ外ナラサレハ拋棄者及ヒ其承継人以外ノ者ニ対シ其効力ヲ生スルモノト為スヲ得ス故ニ原院カ仮ニ主タル債務者某ニ於テ時効ノ利益ヲ拋棄シタルコトアリトスルモ保証人タル被上告人ニ対シテ其効力ヲ及ホスコトナキ旨判示シタルハ正当ニシテ上告人所論ノ如キ不法ナシ」（大判大五・一二・二五前掲、同旨大判明二七・一一・二七民録五四六頁、大判大一三・一二・二五民集三・五七六判民一一三事件舟橋・大判昭一六・四・五法学一〇・一〇九三）

【51】の判例は、主たる債務者の時効の利益を放棄しても保証人に影響がないとしたものであるが、また同じく連帯保証人にも影響がないとしている（大判昭五・一二・九新聞三〇九二・一五、大判昭六・六・四民集一〇・四〇一判民四二事件石井）。また、連帯債務者の一人のなした時効の利益の放棄は他の債務者に対して影響を生じないとしている（大判昭六・六・四前掲――時効完成後に連帯債務者の一人が延期証を差入れた事案）なお、債務者が時効の利益を放棄してもその債務につき設定された抵当不動産の第三取得者に影響がないとしたものがある（大判大一三・一二・二五民集三・五七六判民一一三事件舟橋―この判決は援用権者のところで述べたように判例の全般的な態度からすれば異例に属するものである）

九　完成後の放棄の能力と権限

時効の利益を放棄するには、処分の能力又は権限を必要とするというのが判例の態度である。何故ならば、権利を取得し又は義務を免れる地位を喪失することになり、借財をするのと同一視すべきであるからである（通説も結果を同じくする。我妻・総則三五一頁）。

【52】「時効完成後ニ於ケル債務ノ承認ハ時効ノ利益ノ拋棄ニシテ完成シタル時効ノ効力ヲ消滅セシメ既ニ消滅シタル権利ヲ未タ消滅セサルモノト為スモノナレハ借財ヲ為スト同一視スヘキ行為ナリトス故ニ民法第十二条第一項ニ掲クル行為ノ何レニモ該当セサルモ其第二号ノ規定ヲ類推適用シ後見人カ被後見人ニ代ハ

リ時効完成後ノ債務ノ承認ヲ為スニハ親族会ノ同意ヲ得ルコトヲ要スルモノト解スルヲ妥当トス」（大判大八・五・一二民録二五・八五一）。

この点、時効の中断を生ずべき債務の承認には、第一五六条で、相手方の権利につき処分の能力又は権限のあることを要しないとしているのと異る（この承認は既に得た権利を放棄し、消滅した債務を負担する行為ではなく、従つて、第十二条第一項に掲げた行為に比すべき重大な行為ではないからである）。

控訴院判例

高等裁判所判例

地方裁判所判例

判例索引

大審院判例

著者紹介

幾《いく》 代《よ》 通《とおる》 名古屋大学教授

遠《えん》 藤《どう》 浩《ひろし》 学習院大学助教授

総合判例研究叢書 民 法（8）

昭和33年5月25日 初版第1刷印刷
昭和33年5月30日 初版第1刷発行

著作者 幾 代 通
遠 藤 浩

発行者 江 草 四 郎

印刷者 山 根 正 男

東京都千代田区神田神保町2ノ17
発行所 株式会社 有 斐 閣
電話 九段（33）0323・0344
振替口座 東京370番

印刷・株式会社 三秀舎 製本・稲村製本所

総合判例研究叢書 民法(8)
(オンデマンド版)

2013年1月15日　発行

著　者　　幾代　通・遠藤　浩
発行者　　江草　貞治
発行所　　株式会社 有斐閣
〒101-0051　東京都千代田区神田神保町2-17
TEL　03(3264)1314(編集)　03(3265)6811(営業)
URL　http://www.yuhikaku.co.jp/

印刷・製本　　株式会社 デジタルパブリッシングサービス
URL　http://www.d-pub.co.jp/

AG461

ISBN4-641-90987-3　Printed in Japan